KB103694

4차 산업사회와 정부의 역할

송근원

4차 산업사회와 정부의 역할

발 행 | 2020년 6월 15일

저 자 | 송근원

펴낸이 | 한건희

펴낸곳 | 주식회사 부크크

출판사등록 | 2014.07.15.(제2014-16호)

주 소 | 서울특별시 금천구 가산디지털1로 119 SK트윈타워 A동 305호

전 화 | 1670-8316

이메일 | info@bookk.co.kr

ISBN | 979-11-372-0947-3

www.bookk.co.kr

들며

4차 산업사회는 모든 것이 바뀌는 사회가 될 것이다.

4차 산업사회에서 이루어지는 변화의 요체는 한마디로 '함께'이다. 지금까지 '나' 중심의 사고나 생활방식은 '우리' 중심의 사고와 생활방식으로 바뀌게 된다.

이를 한마디로 표현하면 '공(共)', 또는 공유(共有)이다.

생산과 소비 등 경제 활동 역시 공유경제로 나아갈 것이고, 정치체제 역시 공유정치 체제로 변화할 것이고, 사회 활동이나 문화생활 역시 공유문화 체제 속에서 이루어질 것이다.

아니 4차 산업사회에서 우리의 생활은 그 자체가 '함께'의 가치 속에서 이루어질 것이다.

4차 산업시대는 정보기술의 발달과 융합 기술의 발전에 따라 산업체계가 대폭적으로 개편되고, 노동시장의 변화 역시 대폭적으로 예견되는 사회이다.

또한 4차 산업사회로의 이행 속도는 예전의 사회 변화 속도에 비견할 수 없을 정도로 빠르다.

이렇게 빠른 변화가 이루어지고 있음에도 불구하고, 우리는 태풍의 눈 속에 있는 것처럼 아무런 준비 없이 고요함을 즐기고 있다.

그러나 정작 태풍이 지나간 자리는 어떠한가?

태풍을 막을 수는 없더라도 이에 대해 미리미리 대비한다면, 그 피해를 최소화할 수 있는 것 아닌가?

4차 산업사회로의 진입 역시 굉장한 변화 속에서 이루어지게 되는데, 이러한 변화에 대응해야 하는 기존의 정치, 경제, 사회 체제는 그냥 그대로다.

기존의 정치 경제, 사회 체제는 그 체제 자체가 변화하지 않으면 4차 산업 사회에서 전혀 기능할 수 없다. 그 변화를 감당할 수 없는 까닭이다. 한마디로 역부족이다.

그럼에도 불구하고 4차 산업사회에 걸맞은 정치체제, 경제체제, 사회체제에 관한 논의가 거의 이루어지지 않고 있다.

아직까지 4차 산업시대에 대응하여 활발한 논의가 이루어지지 않고 있음은 인문 사회과학자들의 직무유기이다. 어쩌면, 인문 사회과학자들의 4차 산업사회에 관한 무관심 때문일지도 모른다.

이 책은 4차 산업사회에서의 정치, 경제, 사회적 변화에 대한 예측과 함께 그러한 변화에 대응하기 위해 정부가 어떠한 기능을 해야 하는지 그 방향을 제시해 놓은 것이다.

그렇지만 이 책에서 제시하는 4차 산업사회에서 정부의 역할이나 기능은 단지 쓴 이의 생각일 뿐, 정치 경제 사회적 변화가 어느 방향으로 어떻게 흘러갈지는 아무도 모른다.

4차 산업사회에서 나타나는 경제적, 사회적, 정치적 변화에 어떻게 대처할 것인가는 우리의 선택에 달려 있는 까닭이다. 4차 산업사회가 인류가 염원하던 유토피아가 될지, 아니면 조지 오엘의 동물농장 같은 사회가 될지는 우리가 미리미리 어떻게 대처하는가에 달려 있는 것이다.

그렇다고 이 책에서 정부의 역할이나 기능에 관하여 구체적인 방안을 제시하고 있는 것은 아니다. 대략적인 정책 방향과 변화의 방향만을 제시하고 있을 뿐이다.

이에 대한 구체적 정책 방안이나 대안들은 후속 연구가 이루어지는 학자들의 몫으로 남겨 놓았을 뿐이다.

그런데 2020년 코로나가 발생하여 팬데믹한 상태로 발전함에 따라 4차 산업사회로 들어가기 전에 이미 세계 경제와 정치체제를 흔들어 놓고 있다.

쓴 이의 생각으로는 이 코로나 사태가 진정될 때쯤 되면, 세계 각국의 정치, 경제, 사회, 문화체제는 대폭 개편될 것으로 본다.

곧, 팬데믹하게 퍼져버린 코로나 19가 지금까지의 정치, 경제, 사회 문화체제에서 혁명적 변화를 몰고 오는 기폭제가 될 것으로 생각한다.

그렇다면 그러한 변화는 무엇일까? 그러한 변화에 맞추어 우리는 어찌 해야 할 것인가?

기존의 패러다임으로는 설명할 수 없는 변화 속에서는 기존의 패러다임을 뛰어 넘는 사고의 전환이 필요한 것이다.

이 글을 써 놓은 것은 정확히 4년 전이다.

4년 전, 이 글의 대부분을 써 놓고는 책으로 출판하려 하였으나, 책으로 출판하기에는 원고의 분량이 너무 적어 좀 더 보완해야겠다는 생각에 망설이다보니 그만 4년의 세월이 흐른 것이다.

다가오는 4차 산업사회에서 정부가 해야 할 일에 대해 좀 더 구체적으로 좀 더 현실성 있는 정책 대안을 제시하고픈 마음에 이를 보완하자면서 차일피일 미루어온 것이다.

그러나 솔직히 고백하건대, 4년이 지나고 난 지금에도 보완된 것은 전혀 없다. 단지 우물쭈물하다가 코로나 사태를 맞아, 코로나 사태가 역경만이 아니고 우리에게 4차 산업사회에 대한 실험의 좋은 기회가 된다는 것을 깨달아 〈덧붙이는 글〉을 덧붙일 수 있었을 뿐이다.

변명 같지만, 사실 우리가 우리의 앞날을 정확히 예측한다는 것이 얼마나 어려운 일인지, 그리고 그러한 불확실한 예측에 바탕을 두고 정부가 해야 할 일을 구체적인 정책 대안으로 제시한다는 것이 얼마나 헛된 일이 될 것인지를 생각한다면, 우물쭈물한 쓴 이의 고민을 조금은 이해해줄 수 있을 것이다.

사실 교육정책이든, 복지정책이든 조세정책이든, 정부의 조직 개편이든 간에 여기에서 그 방향만 제시해 놓은 것은 지식과 지혜가 모자란 쓴 이의 한계이기도 하고, '지금'이라는 시간의 한계이기도 하다.

어쩌면 4차 산업사회에서 필요하다고 내내 주장하던 '함께'의 개념을 쓴 이 자신은 실현하지 못하고, 나 혼자만의 힘으로 좀 더 완벽한 책을 내겠다는 오만 때문일지도 모른다.

공유경제, 공유정치, 공유문화 등을 4차 산업사회의 특징으로 내세우면서도 공유지식에 대한 생각은 미처 못 한 건 아닐까? 부족한 내용의 책이지만, 이 책의 내용을 후학들과 '함께' 공유함으로써 좀 더 4차 산업사회에 적합한 지식의 발전을 이루어낼 수 있다는 생각을 하지 못했기 때문이리라.

부족한 내용이지만 이제 와서라도 이 책을 출판하고자 하는 것은, 한편으로는 외우 김석준 총장이 〈4차 산업혁명과 교육혁신〉이라는 책을 출판한 것에 대한 시샘과 함께 더 이상 끌어봐야 더 이상 이 책의 내용을 보완할 수 없다는 쓴 이의 한계에 관한 자각 때문임을 고백한다.

다른 한편으로는 좀 부실한 내용이라 할지라도 이를 바탕으로 4차 산업사회에 대비하여 조금이라도 더 빨리 더 많은 논의가 이루어졌으면 하는 바람 때문이기도 하다.

쓴 이는 4차 산업시대에 닥쳐올 정치, 경제, 사회적 변화는 그 속도가 무척 빠른 까닭에 미리미리 이에 대한 대처 방안을 가지고 있어야 한다고 주장한다.

비록 이 책의 내용이 4차 산업사회에서 변화에 대응해야할 정부 정책의 방향을 그려 본 것에 그치지만, 이들에 대한 구체적인 정책 대안들은 시간의 흐름에 따라 4차 산업사회로 조금씩 이행해 나가면서 차츰 차츰 많은 젊은 학자들에 의해 제시되고 실험될 수 있을 것으로 본다.

쓴 이는 얼마 전 친환경차인 수소전기차를 샀는데, 이 차는 벌써, 완벽하지는 않지만, 어느 정도 자율주행을 할 수 있도록 인공지능을 장착하고 있음을 알게 되었고, 또 그 기능을 직접 경험하게 되었다.

예컨대, 일정한 속도로 달리게 해주는 크루즈 컨트롤 기능이[발전하여 이제는 일정한 속도로만 달리는 것이 아니라, 차선을 스스로 인식하며 달리는 까닭에 커브 길에서도 차선을 벗어나지 않을 뿐 아니라, 앞 차와의 안전거리도 스스로 인식하여 앞 차와의 거리에 맞추어 속도를 자동으로 줄여 줌으로써 충돌을 방지해 준다. 또한 속도위반 감시 카메라가 있는 곳에선 지가 알아서 속도를 맞추어 운행해 줌으로써 운전자로 하여금 교통위반 딱지로부터 자유롭게 만들어 준다.

이런 점 상당히 반갑고 기특하기는 하나, 다른 한편으로는 감시 카메라를 지나치자 말자 갑자기 속도를 증가시켜 입력해 놓은 속도에 맞추어 달리는 차를 보면 재미있기도 하고 우습기도 하다.

'빨리 빨리' 문화에 익숙한 한국 사람들의 입맛에 맞게 인공지능 기능이 프로그램 되어 있는 것이라는 생각이 든다.

어찌 보면 장착된 인공지능이 감시를 벗어나자마자 감시의 목적을 무시하고 무력화시키는 쪽으로 발전한 것이기도 하다.

좀 더 극단적으로 말하면, "감시카메라가 없는 곳에선 마음 놓고 교통위반을 할 수 있도록 자동차를 만든 것 아닌가!"라는 감탄을 자아내게 하는 것이다.

그러나 어찌되었든, 자동차의 자동인식 기능에 따라 차가 속도를 스스로 조절하거나 멈춤으로써 교통사고를 줄이는 데 기여하고 있는 것만큼은 사실이다.

그러나 아직은 자동인식 기능이 완전히 발휘되는 수준은 아니다.

앞으로는 자동차에게 시동을 틀어 목적지만 말하고, 옆 사람과 "쎄~ 쎄~ 쎄!" 하면서 앉아서 놀고 있으면, 지가 알아서 목적지까지 안전하게 데려다주는 완벽한 자율 운행 자동차로 발전할 것이다.

사실 이런 자동차를 탈 수 있는 날은 그리 멀지 않다. 바로 코앞에 와 있는 것이다.

이러한 경험은 지금 내가 살고 있는 2020년이 이미 4차 산업시대에 들어선 것임을 일깨워 준다.

변화는 소리 없이, 그리고 재빨리 우리도 모르게 우리에게 이미 다가와 있는 것이다.

이 책의 내용이 많이 부족하긴 하지만, 어느 새 4차 산업사회에 진입해 있음에도 불구하고 책 내용을 보완하겠다는 명분하에 계속 꾸물거릴 수 있겠는가? 이것이 출간의 변이다.

이 책의 부족한 많은 부분들이 어느 한 사람의 힘이나 생각으로 다 메워질 수는 없을 것이다.

정치, 경제, 사회, 사회복지, 교육, 문화, 생태, 환경 등 각 분야의 젊은 학자들에 의하여 4차 산업시대에 맞는 각 분야의 지식들이 개발되고 그러한 것들이 현실에 바로 적용되어야 한다.

이런 점에서 젊은 학자들이 이 책을 읽고, 각자 자기 분야에서 4차 산업 사회에 필요한 지식과 지혜를 발전시켜 4차 산업사회에 활용할 수 있게 해준다면 쓴 이는 더 없이 고맙고 기쁠 것이다.

끝으로 이 책의 표지는 Crezavr의 인공지능 로봇과 디지털 아티스트인 Pete Linforth의 창작물을 변형시켜 만든 것이며, 이를 무료로 쓸 수 있게 해 준 이 두 분과 https://pixabay.com/ko에게 감사를 전한다.

2020년 6월 초

솔뜰 씀

목차

I. 4차 산업시대의 도래

1. 4차 산업이란?

흔히들 21세기는 4차 산업시대라고 한다.

4차 산업이 존재하면 1,2,3차 산업도 물론 존재할 것이다.

이것은 산업의 발달에 따른 시대 구분이다.

이러한 시대 구분이 의미를 가지는 것은 산업의 발달이 그 시대에 살아가는 사람들에게 미치는 영향이 지대하기 때문이다.

옛날에는 보통 농어업이 그 시대의 소득을 창출하는 주요 산업이었고, 시대가 발전하면서 제조업이, 그리고 그 다음으로 유통업과 서비스업이 주요 산업으로 등장하였는데, 이를 각각 1차 산업, 2차 산업, 3차 산업이라 한다.

이들이 발달하게 된 동인을 간단하게 살펴보자

1) 1차 산업시대에서 2차 산업시대로

1차 산업시대에서 2차 산업시대로 발전하게 된 이유는 18세기 중반부터 19세기 초반까지 진행된 산업혁명 때문이다.

곧, 이 시기에 증기기관의 발명 등 기술의 혁신과 이를 바탕으로 섬유산업 등에서 새로운 제조 공정(manufacturing process)이 나타나고, 이것이 당시 경제구조에 혁명적 영향을 미쳤을 뿐 아니라, 사회, 정치제도 등에도 큰 변화를 몰고 왔다.

곧, 주문생산과 물물교환이 이루어지던 시대에서 대량생산이 이루어지는 시대로 바뀌면서 화폐를 매개로 한 자유주의 시장경제 체제가 확립되었으며, 노동력의 필요에 따라 농촌인구의 도시 유입이 급증하였다.

정치제도 역시 신흥 부르주아적 계급이 나타남에 따라 왕족과 귀족들의 지배체제가 무너지게 되었다.

또한 노동력의 확보를 위한 식민지 쟁탈전이 이루어지는 제국주의 정치체제가 등장했고, 이후 자본주의 체제와 공산주의 체제로 갈리어 서로 대립되던 시기였다.

2) 2차 산업시대에서 3차 산업시대로

2차 산업시대에서 3차 산업시대로의 이행은 1870년 상업용 발전기의 발명으로 석유와 전기가 대중화됨에 따라 교통통신이 발달함으로써 대량으로 생산된 물질적 재화의 이동에 따른 물류, 서비스업 등이 발전하게 되고 이들이 경제에서 차지하는 비중이 점점 더 높아지게 된 시기이다.

곧, 물질적 재화의 생산뿐만 아니라, 무형적 용역(서비스)의 생산이 경제에서 차지하는 비중이 높아지게 된 시기이다.

2차 산업이 대량생산의 물꼬를 트는 데 직접적으로 작용하였다고 본다면, 3차 산업은 대량소비의 물꼬를 트는 데 기여한 산업이라 할 수 있다.

경제적으로는 화폐경제에서 점차 신용경제 체제로 발전하는 시기이고, 정치적으로는 제국주의와 자본주의가 확대되고 공산주의 체제는 사라지고 국가간 경쟁이 심화되던 시기이다.

2. 4차 산업사회의 특징

이제 21세기는 4차 산업시대라고 한다.

그렇다면 3차 산업에서 4차 산업시대로 이행하게 되는 동인은 무엇일까? 4차 산업시대에는 사회 경제, 정치적으로 어떠한 변화가 이루어질 것인가?

우선 4차 산업시대의 특징을 살펴보자

(1) 4차 산업시대의 동인

1) 정보기술 혁명

학자들은 컴퓨터의 발달로 인한 정보기술 혁명을 일컫는 3차 산업혁명이 4차 산업시대로 이끄는 동인이라 한다.

정보기술혁명은 무인(자율주행)자동차, 기계와 제품이 서로 소통하는 사물인터넷(IoT: Internet of Things), 클라우드 서비스, 빅 데이터(Big Data), 3D 프린팅, 블록체인(Block Chain), 사이버-물리 시스템(CPS: Cyber-Physical System), 인공 지능(AI: Artificial Intelligence)과 같은 신기술을 발전시키고 있다.

2) 융합기술의 발전

한편 정보통신 기술(ICT: Information & Communication Technology) 뿐만 아니라, 나노 기술(NT: Nano Technology), 생명공학 기술(BT: Bio

Technology), 환경공학 기술(ET: Eco Technology), 우주항공 기술(ST: Space Technology), 문화 기술(CT: Cultural Technology) 등 각 분야에서 발달한 과학기술들이 서로 융합되어 한층 더 새로운 신기술로 발전되는 시대이다.

다시 말해서 4차 산업시대에는 각 분야별로 발전한 첨단 기술들이 상호 융합됨으로써 함께 진화하면서 새로운 혁신적 기술을 형성하는데, 이러한 융합기술들이 4차 산업사회를 이끌어가는 동인이라 할 수 있다.

(2) 4차 산업시대에 예측되는 변화

1) 경제적 변화

① 산업 구조의 개편: 지식산업, 감성산업, 문화예술산업

기계가 노동력을 대체하는 시대가 됨에 따라 산업구조가 대폭적으로 개편될 것이다.

일반적으로 볼 때, 4차 산업시대에는 첨단 기술과 전문지식을 기반으로 하는 지식산업과 인간관계를 바탕으로 하는 감성산업[1] 및 개성과 창의성을 살려주는 문화예술산업이 소득 창출의 주요 산업으로 등장할 것이다.[2]

---

1) 아무리 인공지능이 발전하다고 하더라도 기계는 기계일 뿐 인간의 심리적 문제를 해결해주기에는 한계가 있다. 따라서 개인의 심리적 문제나 사회적 욕구를 해결하는 데 도움을 주는 상담과 관련된 산업을 말한다. 4차 산업사회에서는 개인의 소외와 아노미 현상에 따른 사회병리적 문제가 심화될 것이므로 이를 해결하는 데 도움을 주는 직업들이 각광을 받을 것이다.

반면에 기존의 많은 직업들이 사라지거나 약화될 것이다.3) 예컨대, 단순 노동자는 물론이고, 인공지능의 발달로 인해 의사, 약사, 세무사, 회계사, 판사, 검사, 변호사, 교사, 대학교수 등의 전문 직업들은 그 수가 대폭 축소되거나 사라질 것이다.

② 공유경제로의 발전: 생산수단의 공유와 소비재의 공유

4차 산업시대에는 생산수단의 공유뿐만 아니라 소비재의 공유 현상이 나타날 것이다.

4차 산업시대는 생산수단을 공유하는 방향으로 진행된다. 예컨대, 빅 데이터나, 공개된 프로그램 소스 코드, 또는 온라인 플랫폼은 공공재(public goods)나 사회적 인프라로 작용한다. 예컨대, 빅 데이터의 사용이나, 오픈 소스 코드를 이용하는 기업 활동이 가능하며, 이 경우 생긴 이익 중 일부는 사회에 환원되어야 한다(김병연, 2017: 5).

지금까지는 이윤의 사유화가 자본주의 경제의 핵심가치이었지만, 생산수단의 공유에 따른 생산이 이루어지는 4차 산업사회에서는 '이윤의 공유'가 당연한 사회적 가치로 등장하게 된다.

예컨대, 김병연(2017: 7)은 "공유된 생산수단을 이용하여 얻은 이윤, 개인과 기관의 데이터를 무료로 수집하여 얻은 이익, 한계비용이 0에 가까운 생산의 결과 얻은 수익 등은 부분적으로 사회와 공유해야 한다는 주장이 설

---

2) 4차 산업시대에는 기계가 노동력을 대치함으로써 개인은 즐길 수 있는 여가 시간이 많아지게 되고 개인의 취향에 따라 즐길거리를 찾게 된다. 따라서 개성과 창의성을 살리는 다양한 문화예술산업이 발전하게 될 것이다.

3) 이에 대한 구체적인 전망은 이재원(2016), 김진하(2016)을 볼 것.

득력을 얻을 수 있다."고 주장한다.

이러한 이윤의 공유는 정부의 증세와 소득재분배 기능에 의해 실현될 수 있다.

한편 3차 산업시대 이전의 소비 생활은 개인의 소유를 전제로 하였지만, 4차 산업시대에는 사유보다는 공유가 훨씬 경제적인 시대가 될 것이다.

예컨대, 모든 교통수단이 충분히 제공된다면, 그리고 거의 무료에 가깝게 제공된다면[4] 개인이 차를 소유할 이유가 없어져 버린다. 곧, 개인적으로나 사회적으로도 개인이 자동차를 소유하는 것보다는 공유하는 것이 훨씬 비용이 절약될 것이다.

또 다른 보기를 들자면, 집의 개념 역시 공유경제 하에서는 현재의 콘도 이용권 비슷한 형태로 바뀔 것이다. 곧, 개인이 가고 싶은 곳 머물고 싶은 곳을 선택하게 되면 그곳의 '공유(호텔/집)'에서 소요되는 최소의 관리비용을 지급하고 몇 개월씩 살 수 있는 것이다. 물론 '공유(호텔/집)'의 관리비용은 인공지능을 장착한 로봇이 수행함으로써 거의 들지 않을 것이다.

결론적으로 공유경제 하에서 소비란 해당 물건을 충분히 이용할 수 있게 됨으로써 소유에 따른 관리 비용을 낮추게 된다.

예컨대, 몇 개월씩 여행을 떠났다고 생각해 보자. 여행을 간 곳에서 숙박을 하려면 호텔비가 들 텐데, 여행하는 기간 동안 내가 살고 있던 집은 관리비용만 나가고 비어 있을 것이지만, 공유경제하에서는 이 집을 다른 사

---

4) 기계화로 인한 노동력의 대치는 인건비의 절감을 가져 올 것이고, 결국 생산원가는 대폭 낮아질 것이다. 정부는 국민들에게 거의 무료에 가까운 교통수단을 제공할 수 있게 된다. 예컨대, 언제든지 정부가 제공하는 무인 자율 운행 택시(또는 버스)를 무료로 타고 다닐 수 있을 것이다.

람이 사용할 수 있게 되니 '집'이 가지는 기능을 충분히 발휘할 수 있게 되며, 그만큼 비용을 절감할 수 있다.

③ 대량 실업의 발생

4차 산업시대에는 인공지능의 발전에 따라 인공지능을 장착한 기계가 인간의 노동력을 대체하게 될 것이다.

이에 따라 대량 실업이 불가피한 것으로 예상된다.

물론 새로운 직업이 나타나서 기존 직업들을 대치시킬 것이지만, 새로운 직업들은 전문적 지식을 필요로 하는 직업이거나 사람들의 감성을 만족시키는 직업들이어서 대량실업은 불가피할 것으로 예측한다.

결국 4차 산업사회에서 나타나는 실업은 보편적 현상으로써 누구에게나 나타날 수 있는 것이기에 정부는 소득재분배 기능을 강화하여 생활에 필요한 최소한의 기본소득을 전 국민에게 제공함으로서 국민들의 경제적 생활을 보장하여야 한다.

이렇게 되면, 실업은 당연한 것이며, 더 이상 사회적 문제가 아니다.

④ 노동 환경의 변화: 사무실 근무에서 재택근무로

4차 산업시대에는 사무실이 거의 불필요한 사회로 변할 것이다.

지금까지는 회사에 출근하여 동료들과 함께 일을 해나갔다면, 앞으로의 4차 산업시대에는 사무실 이외의 근무 환경 속에서 일을 하는 것이 보편화 될 것이다.

예컨대, 집에서 근무하는 재택근무가 보편화 될 것이고, 집 이외의 어느 곳에서든지 전자기기를 통해 모든 일이 이루어질 것이다. 다시 말해서 좀 더 자유로운 노동 환경이 조성될 것이다.

⑤ 기타(전자화폐의 사용 등)

4차 산업시대에 예상되는 경제적 변화는 플라스틱 머니라고 불리던 신용카드의 사용은 점차 감소되고, 전자화폐라 할 수 있는 새로운 형태의 결제 수단이 증가하고 있다. 곧, 신용카드를 사용하지 않고, 인터넷상에서 결제가 이루어지고 있는 것이다.

한편 4차 산업사회에서는 개인이 원하는 바에 따라 맞춤 생산이 결정되는 수요 중심의 경제(On Demand Economy)가 등장할 것이다. 이는 물질의 풍요와 함께 여가 시간의 증가로 인해 개인이 누릴 수 있는 자유 시간은 증가하고, 즐길 수 있는 선택의 폭이 넓어지고, 다른 사람과는 뭔가 다른 특색 있는 나를 보여주고 싶은 욕구에 따라 각 개인의 선호에 맞추어 재화를 생산하는 체제로 이행할 것이다.

1차 산업시대는 수요가 생산을 결정하는 주문생산의 시대였지만, 2차 산업시대로 이행하면서 대량생산이 가능해지고. 시장에 생산된 재화를 풀어놓고 소비자를 유혹하여 구매하도록 만드는 시대였다. 3차 산업시대에는 이렇게 공급이 수요를 결정하는 경향이 전 세계로 확대된 시기였고, 아직까지는 공급의 경제학이 유용한 시대였다고 할 수 있다.

반면에 4차 산업시대에는 즐기는 시간이 많아짐에 따라 다양한 문화예술산업이 발전하게 되고, 소비되는 물품도 소비자 취향에 맞추어 소량으로 생산하는 맞춤 생산의 형태로 재화가 공급될 것이다. 곧, 각자의 개성에 맞추어 생산된 재화가 공급되는 수요 중심의 경제가 등장할 것이다.

2) 사회적 변화

① 사회적 아노미: '소외된 인간'의 양산

정보 통신 기술의 발전에 따라 사회적 관계 역시 급속하게 변화할 것이다.

다른 사람들과의 관계를 중요시하던 사회가 4차 산업의 발전으로 인해 고립된 개인의 활동을 중요시하는 사회로 변화할 가능성이 높다.

예컨대, 친구와 함께 하던 놀이 문화가 컴퓨터 게임 등 혼자 하는 놀이 문화로 바뀌게 되고, 일도 사무실에서 동료와 함께 하던 것이 집이든 다방이든 어디에서든 혼자서 하는 일로 바뀌게 된다.[5)]

이 경우 '관계망 속의 나'는 '소외된 나'로 이동되면서 수많은 사회심리적 문제를 야기하게 된다.

다른 한편으로는 이러한 4차 산업기술의 발전에 따라 사회적 변화가 급속하게 가속화되는데, 사람들이 이런 급속한 사회변화에 적응하지 못함으로써 일종의 과도기적 특성인 사회적 아노미 현상이 나타날 것이다. 결국 이에 따른 사회병리적 문제가 증대될 것임은 자명하다.

4차 산업사회에서는 이러한 병리 현상에서 벗어나기 위해 서로 서로 돕는 상호의존성이 더욱 더 강조되는 사회가 될 것이다.

---

5) 그러나 개인의 활동이 중요시되는 이러한 사회일수록 "함께 즐기고 함께 살아나가야 한다."는 공생(共生)의 가치가 더욱 더 필요한 사회라 할 수 있다. 또한 이러한 사회에서는 충족되지 못한 감성적 욕구를 충족시켜줄 문화 예술 등 감성산업이 발달하게 된다.

② 사회계층간 갈등 심화

4차 산업시대에는 소득의 양극화 현상이 심화될 것으로 예상된다.

첨단 지식을 기반으로 하는 지식산업을 담당하는 소수의 엘리트에게 소득이 집중될 것이고, 산업구조의 개편으로 인한 대량실업은 소득의 양극화 현상을 심화시킬 것이다.

이에 따라 사회계층간의 대립과 갈등이 심화될 것으로 예측한다.

이러한 대립과 갈등의 해결을 위해서는 더욱 더 강력한 정치체제가 필요하고, 소득재분배를 위한 복지정책이 필요할 것이다.

③ 복지 수요의 증대

4차 산업시대에는 복지수요가 폭발적으로 증가할 것이다.

과학기술의 발전에 따라 사망률은 낮아질 것이고, 노인 인구수는 급증할 것이다.

또한 노령인구의 증가뿐 아니라, 기술 진보에 따른 노동시장의 급격한 변화에 따라 대량 실업 등이 발생하여 복지 수요를 대폭 증가시킬 것으로 예상된다.

한마디로 말해서 4차 산업사회에서는 거의 모든 국민이 복지 수요의 대상이 될 것이다.

이런 사회에서는 복지 대상의 선정에 적용되는 원리인 선별주의 보편주의 논쟁은 더 이상 불필요하게 된다. 곧, 선별주의 복지에서 보편주의 복지로 이행될 것이다.

3) 정치적 변화

① 정치적 대타협의 필요성 증대

결국 소득의 양극화를 완화시키고 복지 수요의 증대에 대비하기 위한 사회계층간의 대타협이 필요한 사회가 4차 산업사회이다.

따라서 4차 산업시대에는 사회계층간의 대타협을 이루어내야 하는 정치인들의 역할이 매우 중요하다.

② 정부 기능의 변화: 사회통합 기능의 중요성

정부가 가지는 기능은 치안과 국방 등 사회안정화 기능, 경제성장 및 발전을 위한 경제 촉진 기능, 사회적 통합을 위한 사회복지 기능 따위로 나눌 수 있는데, 4차 산업시대에는 그 어떤 기능보다도 소득재분배를 담당하는 사회복지 기능이 정부의 가장 중요한 기능으로 자리 잡을 것이다.

이는 4차 산업시대의 산업구조 개편으로 인한 대량 실업과 노인 수의 증가 등 복지 수요의 증대에 따른 것이다.

곧, 사회적 통합을 위한 사회복지 기능이 정부의 주요 기능이 될 것이고, 이에 따라 정부 부서나 조직도 복지 대상인 클라이언트 중심의 개편이 이루어질 것이다.

한편 사회적 갈등의 조정이 중요한 정부의 기능으로 등장함에 따라 자본주의 체제 하에서 가능했던 '소극적 작은 정부'는 '적극적 작은 정부'나 '큰 정부'로 이행할 것이다.

'소극적 작은 정부'란 3차 산업사회에서 개인의 자유를 보장하기 위해 정부의 간섭을 가능한 한 축소하여야 하는 까닭에 제시된 정부론인데, 4차 산업사회에서는 사회적 갈등을 해결해야 하는 까닭에 이 작은 정부론은 더 이상 설자리가 없다.

③ 선의의 독재 vs 전자민주주의의 실현

정치체제는 전자통신 기술의 발달로 인해 독재정치 체제로 이행할 수도 있고, 반대로 직접민주주의가 실현될 수도 있다.

4차 산업시대에는 국민들의 안전을 보호하기 위해 전자통신 기술을 활용하여 만든 시스템[6]을 국민들을 통제하는 시스템으로 바꾸어 사용하게 되면 강력한 독재정치체제가 가능해질 수도 있다.

곧, 발전한 정보통신 기술을 사용하여 강력히 국민들을 통제함으로써 사회적 갈등을 봉합하는 '큰 정부'가 등장할 가능성이 있다.

반면에 전자통신 기술을 활용한다면, 온 국민이 참여하는 전자민주주의 정치체제가 실현될 수 있다.

곧, 정부가 주요 사안을 제시해 놓으면 국민들이 인터넷을 통해 그 해결 방법에 대한 아이디어를 제시하여 토론하고, 그 결과를 정부가 종합 요약하여 제시된 해결 방안들을 국민들에게 전송하면 전 국민들이 인터넷을 통해 투표함으로써 그 사안에 대한 결정이 이루어지고 정부가 이를 시행해나가는 방식이 될 것이다.

---

6) 예컨대, 골목마다 장착된 CCTV가 도둑을 잡는데 활용되거나, 교통 법규 위반을 단속하는 데 사용되고 있으나, 이를 통하여 국민들을 감시하는 데 사용할 수도 있다.

이른바 정보의 공유를 통해 직접민주주의 정치체제가 가능할 것으로 보인다.

1980년대부터 정치학계에서 논의되기 시작한 전자민주주의(electronic democracy)가 4차 산업시대에 비로소 실현될 것이다.

이러한 정치체제는 일종의 공유정치 체제라 할 수 있는데, 이 경우 정부는 개인의 자유를 대폭 보장해줌과 동시에 사회적 갈등을 해결해나가는 데 적극적인 강력한 힘을 가진 정부가 되어야 할 것이다.

이 정부는 이른 바 개인의 자유를 최대한 보장해줘야 한다는 점에서 '작은 정부'를 지향하지만, 사회적 갈등의 해결에서는 강력한 힘을 가지고 적극적으로 대처해야 하는 정부인 까닭에 '적극적 작은 정부'라 할 수 있다.

'적극적 작은 정부'의 기반은 온 국민이 정부의 결정에 참여하는 참여민주주의이다.[7]

지금까지 논의한 것을 간단히 요약하면 다음 〈표 1〉과 같다.

---

7) 4차 산업사회에서 바람직한 정부는 사회적 갈등을 해결하고 전 국민의 복지를 향상시키는 데에 '적극적'이라는 점에서 '큰 정부'를 지향하는 것처럼 보이지만, 이러한 것들에 대한 결정이 소수 엘리트에 의해 이루어지는 것이 아니라 참여민주주의 체제 하에서 전 국민에 의하여 이루어지는 까닭에 소수 엘리트들의 권력 독점을 막고, 개인의 자유를 최대한 보장해줄 수 있다는 점에서 '작은 정부'를 지향한다.

〈표 1〉 산업의 발달에 따른 시대 구분

	1차 산업시대	2차 산업시대	3차 산업시대	4차 산업시대
시기	1780 이전	1780-1890	1870-2020	2020년 이후
동인		1차 산업혁명 (증기기관의 발명)	2차 산업혁명 (발전기 발명) (제조공정의 자동화)	3차 산업혁명 (정보기술혁명) (융합과학)
주 산업 (소득창출)	농업, 어업	제조업	유통업 서비스업	첨단지식산업 감성산업 문화예술산업
경제	물물교환경제 주문생산	자유시장경제 화폐경제 대량생산	자유시장경제 신용경제 대량소비	공유경제 전자화폐 재택근무 대량실업
사회	계급사회	농민들의 공장 노동자로 전환	구조적 실업	소외된 인간 사회적 아노미 계층간 갈등 복지수요 증대
정치	왕정/귀족정	제국주의 자본주의/공산주의 등장 작은 정부	민주주의 자본주의(공산주의의 소멸) 소극적 작은 정부	정치적 대타협 사회통합 기능 독재정치체제(큰 정부)/전자민주주의(적극적 작은 정부)

II. 4차 산업사회에 대한 전망: 디스토피아인가, 유토피아인가?

4차 산업시대에는 4차 산업의 발전에 따라 경제뿐만 아니라, 정치적으로나 사회적으로도 엄청난 변화가 예상된다.

이러한 변화에 우리가 어떻게 대처하느냐에 따라 우리가 살아가야 할 미래 사회는 디스토피아도 될 수 있고, 유토피아도 될 수 있을 것이다.

1. 디스토피아

현재의 정치, 경제체제가 계속 지속된다고 생각할 때, 또는 계속 지속하려고 할 때 나타나는 결과를 예상하면 다음과 같다.

1) 경제적 불평등 심화

앞에서 언급한 바와 같이 4차 산업시대에는 대량 실업이 발생하고 노인인구는 급증하며, 결국 사회적 부는 소수가 독점하고 대부분의 사람들은 소득이 부족하여 빈부격차는 심화될 것이고, 경제적 불평등지수는 높아질 것이다.

2) 사회적 혼란

소득 격차의 심화로 인한 사회계층의 대립 상태가 지속되는 것을 방치

하는 경우, 결국 범죄율은 증가할 것이고 '못 가진 자(the have-nots)들'에 의한 폭동이나 민란이 일어날 것이다.

설령 '가진 자(the haves)'와 '못 가진 자들(the have-nots)' 사이의 정치사회적 타협이 이루어진다 해도 그 타협에 불만을 가진 사람들에 의해 시위나 폭동으로 사회는 혼란이 지속될 것이다.

3) 독재체제의 등장

결국 정치체제는 이러한 사회적 혼란을 막기 위한 독재체제로 회귀할 것이다.

민주주의 정치체제는 소멸되고 소수의 '가진 자들'에 의한 강력한 독재국가가 모습을 들어 낼 것이다.

곧, 기술의 발전에 따라 '가진 자들'은 '못 가진 자들'을 통제하는 시스템을 만들어 낼 것이고, 이러한 통제 시스템 역시 기계로 대치될 것이다. 다시 말해서, 기계가 인간을 감시하는 사회로 이행할 것이다.

예를 든다면. CC TV를 통해 가지지 못한 사람들의 일거수일투족이 감시될 것이며, 인공지능을 장착한 로봇에 의해 불만을 토로하는 시위대는 무자비하게 진압될 것이다.

다른 한편으로는 '가진 자들'이 '못 가진 자들'의 불만을 잠재우기 위해 정치인들을 동원하여 최소한의 복지를 시행함으로써 '가진 자들'이 생색을 내는 사회가 될 것이다

이러한 사회에서 정치인들은 소수의 '가진 자들'에 빌붙어 '못 가진 자들'을 설득하며, 불공정한 사회를 옹호하는 첨병 역할을 맡게 될 것이다.

4) 디스토피아의 완성

결국 미래의 사회는 조지 오웰의 동물농장 같은 디스토피아 사회로 전락할 것이다.

경제적 불평등 속에서 나타나는 사회적 혼란과 불만은 가중될 것이며, 인공지능을 장착한 기계에 의한 이들의 감시와 억압이 나타날 것이고, 결국 '가진 자들'이 지배하는 독재체제 속의 동물농장과 같은 사회가 완성될 것이다.

2. 유토피아

한편, 현재의 정치, 경제체제를 계속 수정하여 사회계층간의 대타협이 이루어진다고 생각할 때에는, 그리고 '경쟁보다는 협력', '나보다는 우리', '함께 더불어 사는 사회'라는 새로운 가치체계가 정립되면, 그야말로 인류가 그토록 바라던 유토피아의 세계가 실현될 것이다.

1) 경제적 풍요를 누리는 사회

4차 산업의 발전으로 인해 인공지능을 장착한 기계를 이용하여 농수산물, 공산품 등의 생산이 증가하고, 저렴한 가격으로 공급됨에 따라 물질적으로 풍요로운 사회가 실현될 것이다.

이러한 사회에서는 공유경제 체제가 실현됨으로써 더욱 더 풍요롭고 자유로운 삶을 영위할 수 있게 될 것이다.

2) 서로 돕고 더불어 사는 사회

4차 산업사회에서 사람들은 자신이 하고 싶은 일을 하며, 다른 사람들과의 교류와 교제를 통해 서로 돕고 함께 즐기며 사는 사회가 될 것이다. 예컨대, 같은 취미, 같은 관심을 가진 사람들끼리 즐기는 동호회 활동이 활성화 될 것이다.

곧, 각자의 개성과 창의성이 창조하는 '문화의 공유'를 통해 '즐김을 공유'하는 사회가 될 것이다.

이 시대에는 인간의 가치와 존엄성이 실현되는 사회가 될 것이다.

3) 참여민주주의의 실현

4차 산업사회에서는 정보통신 기술의 발전으로 인하여 전자민주주의가 완성되고, 정치적 사안에 대하여 전 국민이 참여하여 결정할 수 있는 사회가 될 것이다.[8)]

정부의 관료들은 정부 활동의 기본 설계자가 될 것이고, 이들이 설계한 정책 계획들은 국민들의 참여에 의해 수정, 보완되면서 완성될 것이다.

물론 여기에 참여하여 정책 활동을 한 사람들에겐 일정한 인센티브가 제공될 것이다. 완성된 정책(대안들)은 국민 모두가 참여하는 전자투표에 의해 결정될 것이다.

이러한 사회에서 사람들은 자유를 만끽하며 다른 사람의 자유를 침범하

---

8) 내가 미국 유학시절인 1980년대 초부터 전자민주주의가 논의되어 왔다. 곧, 모바일 투표라든가, 전자정부의 실현이 논의되기 시작했고, 2016년 현재에는 이들이 대부분 실현되고 있다. 앞으로 도래할 4차 산업시대에는 정치에 전 국민이 직접 참여하는 직접민주주의 시대로 이행할 것이다.

지 않는 한 자신이 하고 싶은 대로 자유를 만끽하며 살아갈 수 있을 것이다. 곧, 자신이 하고 싶은 것을 할 수 있는 사회가 될 것이다.

예컨대, 먹고 싶은 것을 먹고, 자고 싶으면 자고, 놀고 싶으면 놀고, 일하고 싶으면 일하고, 여행하고 싶으면 여행하고, 문화생활을 누리고 싶으면 문화생활을 누리는 그런 사회가 될 것이다.

4) 유토피아의 완성

이 경우 미래의 4차 산업사회는 경제적으로 풍요롭게, 정치적으로는 자유롭게, 사회문화적으로는 서로 돕고 더불어 즐기며 살아가는 꿈에 그리던 유토피아가 완성될 것이다.

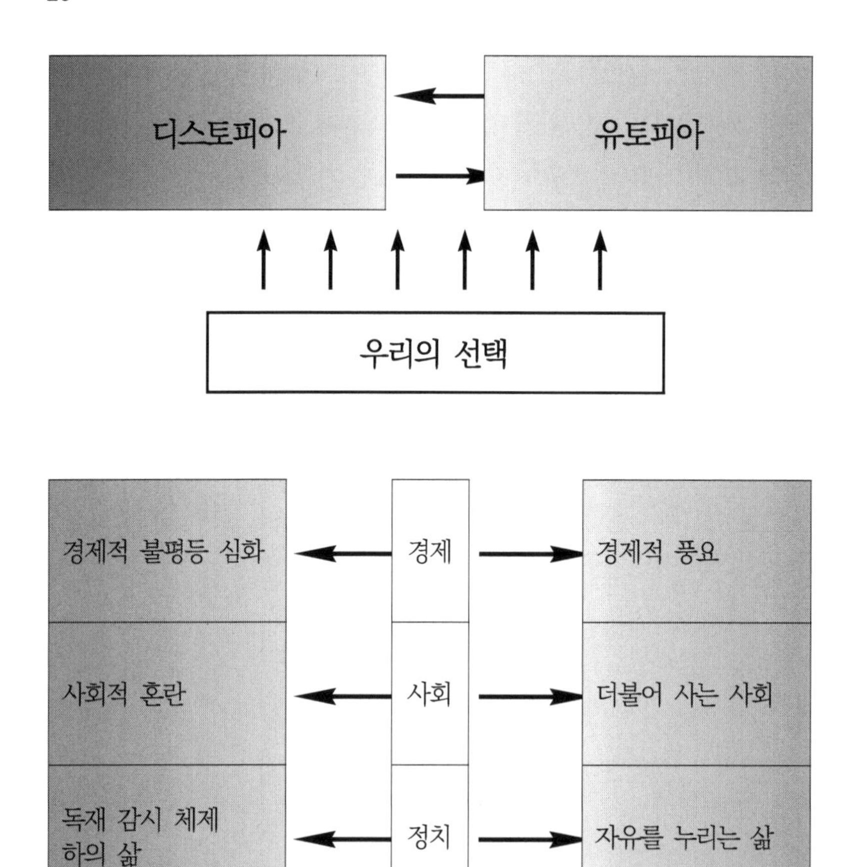

〈그림 1〉 4차 산업시대에 대한 전망

3. 우리의 선택

우리 미래의 사회가 디스토피아가 될지, 유토피아가 될지는 우리의 선택에 달린 것이다.

한쪽 끝에는 디스토피아가, 다른 한쪽 끝에는 유토피아가 있다면, 이 둘을 잇는 선의 어느 부분인가에 우리가 선택한 4차 산업사회가 위치할 것이다.

그렇다면 디스토피아에서 조금이라도 유토피아 사회로 나아가기 위해 우리는 무엇을 준비해야 하는가?

유토피아가 실현되려면, 다음과 같은 여러 조건이 갖추어져야 한다.

(1) 새로운 가치관의 확립

4차 산업사회가 유토피아가 되려면 무엇보다도 중요한 것이 현재의 가치체계를 바꾸는 일이다.

모든 사람들이 유토피아에 적합한 새로운 가치체계를 받아들이고, 그러한 가치체계 속에서 생활할 때 유토피아는 실현될 것이다.

그렇다면 4차 산업사회에서는 어떠한 가치들이 중요시될까?

1) '나'에서 '우리'로: 개인주의의 수정

개인주의란 사회를 구성하는 기본 단위를 개인으로 보는 시각이다. 곧,

사회의 모든 움직임이 개인을 중심으로 이루어진다고 보는 시각이고, 집단보다는 개인을 우선시하는 사상이다.9)

개인주의의 반대편 시각은 전체주의이다. 전체주의는 개인보다는 전체, 예컨대, 어떤 집단이나 국가를 우선시하는 사상이다.10)

2차 산업, 3차 산업시대에는 개인주의의 가치가 무엇보다도 우선시되는 사회였고, 개인주의를 바탕으로 개인의 사익 추구와 자유가 보장되는 정치 경제 체제가 발전하여 왔다.

그러나 4차 산업시대에는 이러한 개인주의 사상은 수정되어야 한다. 곧, 극심한 소득격차로 인한 경제적 불평등이 예상되는 사회에서는, 공동체라는 관점에서, 개인주의에 기반한 정치 경제 사회체제를 수정하여야 한다.

다시 말해서 '나 혼자만이 잘 사는 사회'가 아니라 '함께 잘 사는 사회'로 바뀌어야 한다는 점에서 지나친 개인주의적 시각은 수정되어야 한다. 곧, 개인의 자유나 사익 추구가 부정되는 것은 아니지만, 공동체 내에서 개인의 자유가 추구되고 공익이 실현된다는 '공동체 내 개인주의'11)로 수정되어야

---

9) 비슷한 말로 이기주의가 있는데, 이기주의는 타인보다는 자신의 이익을 먼저 챙기는 것을 의미하며, 그 반대는 이타주의이다.

10) 예컨대, 국가전체주의에서는 국가가 개인보다 우선시된다. 곧, 개인은 국가를 위해서 희생될 수 있는 존재이다. 만약 집단이 우선시되는 전체주의라면, 집단을 위해 개인은 희생될 수밖에 없는 존재이다.

11) 여기서 말하는 '공동체 내 개인주의'는 개인보다 공동체를 우선시하는 전체주의적 시각을 부정한다. 물론 개인을 공동체보다 우선시하는 시각도 분명 아니다. '공동체 내 개인주의'에서는 "개인의 자유는 공동체 내에서 누릴 수 있는 것이므로, 좀 더 많은 자유를 누리기 위해 좋은 공동체를 만들어 내야하고, 좋은 공동체를 만들어 내기 위해 때로는 개인이 자발적으로 자신의 자유를 스스로 제약한다."는 점에서 전체주의나 개인주의와는 다르다.

한다.

나의 자유를 위하여, 그리고 나의 이익을 위하여서도, 우리의 자유와 우리의 이익이 중요시된다는 것을 깨우쳐야 한다.

함께 더불어 잘 사는 사회, 함께 더불어 즐기는 사회가 되기 위해서는 '나'에서 '우리'로의 시각 전환이 필요하다.

2) 경쟁에서 협력으로

함께 사는 사회, 더불어 누리는 사회를 지향하기 위해서는 '경쟁'의 가치보다는 '협업'과 '협력'의 덕목이 중요시되어야 한다.

4차 산업사회는 상호의존성이 강조되는 사회이다. 예컨대, 개인의 지성보다는 집단 지성이 더 중요하고, 지식과 기술의 발전 역시 경쟁보다는 협력과 협업이 중요해진다.

3) 돈 중심에서 인간 중심으로

인간의 존엄성과 가치는 어느 사회에서든 필요한 가치인데, 현재 우리 사회는 물질만능주의, 돈 중심의 사회 발전이 가속화됨에 따라 이런 인간의 가치에 대한 관념이 희박해지기 시작했다.

결국, 돈 중심의 사회가 되면서 갑질이 성행하고, 계층간의 위화감은 더 커지며, 인간의 존엄과 가치는 무시된다.

4차 산업시대에는 돈과 물질 중심의 사고에서 벗어나 인간 존중의 사상이 강조되어야 한다.

4) 개인적 탐욕의 억제

4차 산업사회에서는 소득격차가 심화될 수밖에 없는데, 그 격차를 줄이기 위해서 정부는 증세를 통해 소득재분배 기능을 적절히 사용하여야 한다.

그러나 이러한 기능도 고소득자가 받아들일 때에만 효과를 볼 수 있다.

욕심은 발전의 원동력이다. 그러나 적정한 선에서 탐욕은 억제되어야 한다.

쓴 이는 경제적 불평등의 심화에 따른 소수의 탐욕(Greedy Minority)을 억제하지 않으면 유토피아의 세상으로 나아갈 수 없다고 본다.

4차 산업사회에서는 공유경제에 의해서, 그리고 인공지능을 장착한 기계가 노동력을 대신함으로써 생산되는 재화에 드는 비용은 대폭 줄어들게 된다.

그럼에도 불구하고 여기에서 나오는 이윤 모두를 사유화하는 것이 정당화 될 수는 없는 것이다.

예컨대, 김병연(2017)은 "생산의 한계비용이 0에 근접하게 되면 생산물의 판매 이윤 모두에 대한 사회적 수용성은 낮아질 것이다."라고 주장한다.[12]

그렇다면, 여기에서 발생한 이익을 모두 사유화하는 것이 과연 정당화

---

12) 김병연(2017)은 이에 관해 몇 가지 예를 들고 있다. 곧, "온라인 플랫폼을 운영하는 사업의 경우 새로운 사업자와 수요자가 이 플랫폼에 등록한다면 한계생산비용은 거의 없을 것이다. …중략…. 또 다른 예로서 에어비앤비나 북킹닷컴은 숙박업체를 알선해주는 기업이지만 호텔을 소유하고 있지는 않다, 다만 인터넷 상에서 등록한 호텔과 소비자를 연결해주는 사업인 까닭에 호텔 소유나 관리 비용은 들지 않는다."고 한다.

될 수 있을 것인가?

더욱이 4차 산업사회는 고소득을 창출하는 소수와 저소득 또는 무소득의 다수가 존재하는 사회이다.

이런 사회에서 고소득자가 공유경제에서 창출한 이윤을 모두 자신의 것이라 주장한다면 소득격차는 심화되고 사회는 혼란에 빠질 것이다.

이러한 문제를 해결하기 위해서는 사회 계층의 의식변화가 필요하다.

예컨대, 고소득을 창출하는 사람들은 그 소득의 원천이 '사회로부터 받은 것'이라는 인식을 할 필요가 있다. 곧, 자기 자신의 힘만으로 고소득을 창출하는 것이 아니고, 지금까지 많은 사람들이 발전시켜온 기술과 전문지식을 습득하여 재화를 생산해 내는 것이기 때문이다.

설령 자신의 재능이나 노력으로 고소득을 창출하는 것이라 하더라도 그 재능은 부모님으로부터 물려받은 것이고, 한 걸음 더 나아가 말한다면, 하늘로부터 부여받은 재능이므로 많은 사람들을 위해 그 재능을 사용하여야 한다는 인식이 필요하다.

뿐만 아니라 인간다운 생활을 하기 위한 조건으로서의 물질적 풍요에는 그렇게 많은 부(富)가 필요하지 않다는 것 역시 인식하여야 한다.

곧, 인간다운 생활을 하려면 물질도 중요하지만, 이웃과의 관계가 더 중요한 것임을 알아야 한다.

5) 직업에 대한 생각의 변화

4차 산업시대에는 직업이 '소득을 창출하기 위한 것'이라기보다는 '즐겁게 시간을 보내기 위한 것'으로 변화되어야 한다. 곧, 돈을 벌기 위해 하기

싫은 일을 하는 시대는 지나간 것이라는 인식이 필요하다.

어찌 보면 직업과 노는 것의 경계가 없어지는 사회가 4차 산업사회이다.

경제적 풍요의 시대가 도래하고 의식주가 충분히 충족되는 사회가 되면, 개인이 쓸 수 있는 여유 시간은 늘어난다.

따라서 "이러한 시간을 어찌 소비할 것인가?"라는 질문의 많은 부분을 충족시켜 주는 것이 직업이라는 인식이 필요하다.

이때 직업으로부터 나오는 소득의 창출은 부수적으로 따르는 것일 뿐이다. 직업의 가치는 "시간을 소비하며 즐길 수 있는 일을 어떻게 선택할 것인가"에 달려 있다.

4차 산업시대는 무슨 일이든 자신이 하고 싶은 일을 할 수 있는 사회가 되어야 한다. 노래를 하고 싶은 사람은 노래를 하고, 그림을 그리고 싶은 사람은 그림을 그리고, 로봇을 만들고 싶은 사람은 로봇을 만드는 일을 하면 된다.

곧, 4차 산업사회에서 일이란 '즐거워서 하는 일'이 되어야 한다.

또한 이 시대에는 대부분의 사람들이 하나의 직업에만 종사하는 것이 아니라, 자신이 즐길 수 있는, 하고 싶은, 복수의 직업에 종사할 것이다.

결론적으로 4차 산업사회는 소득에 관계없이 즐겁게 하고 싶은 일을 선택하며 사는 세상, 곧 잡토피아(jobtopia)의 세상이 되어야 한다.

(2) 사회계층간의 대타협

4차 산업사회가 유토피아로 나아가려면, 무엇보다도 경제적 불평등을 교정하여야 한다.

그렇다면 누가 이를 맡아야 할 것인가?

이를 정부가 해야 할 역할이라고 본다면, 정부는 고소득에 대한 증세를 통해 걷은 세금을 저소득자에게 이전해주어야 하는데, 그러기 위해서는 사회계층간의 대타협이 전제된다.

1) 소득재분배 기능의 강화

4차 산업사회에서는 무엇보다도 정부의 기능이 변화될 것임은 앞에서도 언급한 바 있다. 곧, 무엇보다도 경제적 불평등 해소를 위해 소득재분배 기능이 가장 중요한 정부의 기능이 될 것이다.

만약 사회계층간의 대타협이 이루어지지 않는다면 사회는 혼란에 빠지고, 범죄율은 늘어날 것이며, 이에 대한 정부의 탄압은 거세지고 결국 디스토피아의 상태로 나아가게 된다. 이때 정부란 '소수의 탐욕'을 보장하는 독재정권으로 변질될 것이다.

2) 정치인들의 역할 증대

이러한 타협을 이끌어내는 역할을 담당하는 사람들이 정치인들이다.

흔히 정치는 더러운 것이라고 말하며, 정치인들만 없으면 이 나라가 더 잘 될 것이라고 말하는 사람들도 많이 있지만, 4차 산업시대에 정말로 큰 역할을 담당해야 할 사람들이 정치인이다.

정치인들은 미래 사회의 변화를 미리 내다보고, 국민들을 설득함으로써 사회계층간의 대타협을 이끌어내야 한다.

그러기 위해서는 국민들이 정치인들로 하여금 이러한 대타협을 끌어내도록 만들어야 한다.

만약 정치인들에 의하여 대타협이 이루어지지 않으면, 결국 유토피아로 가야한다는 명분으로 소수 엘리트에 의한 독재정치체제가 수립될 가능성도 있다.

이러한 독재체제는 '선의의 독재'라는 이름으로 정당화될 지도 모른다.

그렇지만 4차 산업시대에 대한 전망과 정확한 미래 예측을 통해 규범적인 관점에서 선의의 독재체제가 탄생한다고 하더라도 이것이 바람직한 것은 아닐 것이다. 독재체제 하에서는 자주적인 삶이 보장되지 않기 때문이다.

III. 4차 산업시대와 정부

1. 정부가 할 일

4차 산업시대에는 사회변화에 따라 정부가 해야 할 일들 역시 변화한다. 4차 산업시대에 정부가 해야 할 일을 간단히 살펴보자.

4차 산업사회는 기계가 노동력을 대치한다는 점, 인공지능과 융합과학을 바탕으로 기술이 급속도로 발전하고 있다는 점, 그리고 그 변화의 속도가 무척 빠른 까닭에 변화에 적응하지 못하는 사람들이 늘어난다는 점 등으로 특징지을 수 있다.

또한 물질적 풍요 속에서 경제적 불평등과 사회계층 간의 갈등이 심화되고, 개인의 소외와 사회적 아노미가 급증하는 사회인데, 이를 해결하기 위해 4차 산업시대에 정부가 해야 할 일은 무엇인가?

앞에서 언급했듯이 4차 산업사회가 디스토피아가 될 것인지, 유토피아가 될 것인지에 관해서는 우리의 선택에 달려 있다. 곧, 4차 산업시대에 나타날 이와 같은 문제들을 정부가 어떻게 다루어야 할 것인지가 중요하다.

심화되는 경제적 불평등을 완화하여 함께 잘 사는 사회를 만들기 위해서는 무엇보다도 정부가 '소수의 탐욕'을 억제할 수 있어야 하는데, 그러기 위해서는 정부가 4차 산업시대에 필요한 새로운 가치관을 제시하여 이를 국민들이 받아들이게 만들어야 한다.

한편, 4차 산업시대에 증가하는 복지 수요에 맞추어 정부는 국민들이 인간다운 생활을 할 수 있도록 최저생활을 보장해주어야 한다.

그러기 위해서는 기본소득 중심의 사회복지제도 개편이 요구되고, 그 재원을 마련하기 위한 증세 역시 필요하다.

결국 '소수의 탐욕'을 억제하고 '함께 사는 사회'로의 이행을 위해서는 무엇보다도 사회계층간의 대타협을 이끌어 내야 하는 것이 정부의 아주 중요한 과제가 된다.

4차 산업사회에 맞는 정부 체제로의 개편 역시 필요한 것이지만, 이는 이러한 두 가지 전제 조건을 달성한 이후의 일이다.

1) 새로운 가치관의 제시 및 국민적 사회화의 필요성

한마디로 말해서 4차 산업사회는 사회적 변화가 급격하게 일어나는 일종의 과도기적 특성을 띠는 사회이다.

곧, 4차 산업시대는 사회 변화의 속도가 너무 빨라 사회제도나 정부 정책이 이를 따라가지 못하게 되어 가치체계의 혼란이 가중되는 특성을 띨 것으로 예상한다.

따라서 정부가 "얼마나 4차 산업시대에 잘 대비하여 새로운 가치체계를 어떻게 정립시켜주는가"는 그 어떤 일보다 훨씬 중요한 일이라고 본다.

이런 급격한 변화에서 오는 충격을 완화하기 위해서는 앞 장에서 말한 바와 같이 무엇보다도 기존의 가체체계를 하루 빨리 정리하고 4차 산업사회에 필요한 새로운 가치체계를 정립시켜주어야 하는데, 이를 정부가 주도해 나가야 한다.

새롭게 수립하여야 할 가치체계가 지향해야 할 방향은 한마디로 지금까지 금과옥조로 믿어왔던 개인주의와 자본주의에 대한 신념이 수정된 가치체계이다.

곧, 4차 산업사회에서는 함께 사는 사회, 함께 즐기는 사회에 적합한 가치체계의 정립이 필요한 까닭에. 개인주의를 바탕으로 하는 지금까지의 자유시장경제와 자본주의 시장경제에 대한 신념이나 가치체계는 공동체주의에 의해 수정되어야 한다.

'우리 속의 나'라는 '공동체 내 개인주의'로의 인식 전환뿐만 아니라, '돈' 보다는 '사람'이 더 중요하다는 인식이 사회화되어야 한다. 또한 '소득을 얻기 위해 하는 일'의 개념 역시 '즐기고 싶은, 하고 싶은 일'의 개념으로 바뀌어야 한다.

다시 말해서 4차 산업시대에 정부가 해야 할 가장 중요한 일 중 하나는 기존의 가치체계를 새로운 가치체계로 바꾸는 일이다.

곧, 이전의 가치체계를 대치하는 전혀 새로운 가치체계를 확립하여야 하는데, 정부가 이를 주도해야 한다.

2) 사회계층 간의 대타협

새로운 가치체계의 수립과 함께 4차 산업사회에서는 정부가 국민들의 즐거운 삶을 보장해주어야 한다.

그러기 위해서는 4차 산업사회에서 심화되는 경제적 불평등을 완화하고, 모든 국민들에게 생활에 필요한 최저한의 소득 보장이 필요하다.

이를 위해서는 '소수의 탐욕'을 억제하고, 소득 계층 간의 갈등을 해소해야 하는데, 이러한 기능 역시 정부가 담당해야 할 몫이다.

곧, 4차 산업사회에서는 '소극적 작은 정부'가 아니라 '적극적 작은 정부'가 필요하고, 사회계층 간의 대타협을 끌어내기 위한 정부(또는 정치인)의 중재 역할이 요구된다.

이러한 중재와 타협의 결과에 따라, 4차 산업시대 우리 사회가 디스토피아와 유토피아의 어느 선 상에 위치하는가가 결정될 것이다.

만약 계층간의 대타협이 전혀 이루어지지 못하는 경우 우리 사회는 4차 산업시대를 맞아 조지 오엘의 동물농장과 같은 디스토피아로 전락할 것이다.

3) 변화에 부응한 정부 체제의 개편

또한 4차 산업시대를 맞아 앞의 두 가지 전제가 달성되었다고 하더라도 바람직한 유토피아를 향해 나아가기 위해서는 정치인들이나 정부 관료들이 미래의 사회적 변화를 미리 내다보고 정부 제도와 정치체제를 바꾸어 나가야 함은 물론이다.

몇 가지 보기를 들어보자.

앞으로의 4차 산업사회는 간접민주주의에서 직접민주주의로 정치체제가 바뀔 것이 예상되므로 온 국민들이 참여할 수 있는 전자민주주의 제도 도입 방법을 구체적으로 수립하여야 한다.

예컨대, 누가 어떠한 사안을 어떻게 제시하고, 이에 대해 국민들이 내놓는 여러 가지 의견을 누가 어떻게 수집하고 정리해야 하는가, 정리된 해결 방법을 언제 어떻게 제시하여야 하는가, 그리고 이에 대한 결정을 위해서 전자투표는 언제 어떻게 시행하는가에 관한 구체적인 지침 및 제도가 수립되어야 한다.

다시 말해서 어떤 사안에 관한 국민들의 의견을 정부에 반영하기 위해서는 국민 의견의 수집 방법 및 결정 방법 등에 관한 제도적 장치를 미리 강구하여 마련해 놓아야 할 것이다.

또 다른 보기로서 사회복지 기능이 확대될 것이므로 이에 맞추어 정부 체제가 대폭 개편되어야 할 것이다. 이에는 소득재분배를 위한 복지 담당 부서의 개편뿐만 아니라, 재원 마련을 위한 증세 관련 제도가 대폭 개편되어야 할 것이다.

예컨대, 국민들의 '최저한의 인간다운 삶'을 보장하기 위해 전 국민에게 지급되는 기본소득 제도를 도입하게 되면, 기존의 공공부조제도나 사회보험제도의 대폭적인 손질이 예상된다.

한편, 새로운 가치 체계를 수립하고 이를 국민들에게 제시하여 내면화시키는 작업을 위해서는 기존의 교육체계 역시 대폭 개편되어야 할 것이다.

4차 산업사대를 맞아 정부가 해야 할 일을 시간상의 필요성에 따라 나열한다면, 제일 먼저 해야 할 일은 새로운 가치체계의 수립 및 확산이고, 그 다음이 사회적 대타협을 끌어내는 일이며, 그 다음이 새로운 정부 체제와 제도의 마련이다.

4차 산업시대에 필요한 가치체계의 수립에 관한 정부의 간여는 주로 교육정책으로 나타날 것이고, 사회적 대타협을 통한 소득의 보장은 주로 복지정책과 조세정책으로 나타날 것이다.

여기에서는 4차 산업시대에 정부가 지향해야 할 교육정책과 복지정책 및 조세정책의 방향을 살펴보고, 기타 정부가 해야 할 일, 준비해야 할 일을 간략히 논의해보고자 한다.

2. 교육정책

4차 산업시대를 맞이하기 위해 제일 시급하고도 필요한 정책이 교육정책이다.

국민들이 가지는 가치체계를 4차 산업시대에 필요한 가치체계로 변화시키는 일을 주로 담당하는 것이 이 교육정책이기 때문이다.

뿐만 아니라, 교육정책은 4차 산업시대를 이끌어나갈 인재들을 육성해나가는 정책이기도 하고, 4차 산업시대에 살아가야 할 방법을 제시해주고 익힘으로써 개인의 사회적 삶을 풍요롭게 해주는 데 기여하는 근본적인 정책이기도 하다.

이런 까닭에 기존의 교육 내용이나 교육 방식 및 교육 체계는 대폭적인 변화가 필요하다. 대폭적인 패러다임의 전환이 요구된다.

이를 하나씩 살펴보자.

(1) 교육 내용의 변화

1) 일반 교육: 자아를 찾아내는 교육

나의 관심이 어디에 있는가, 내가 하고 싶은 일이 무엇인가, 그리고 내가 잘 할 수 있는 것이 무엇인가를 스스로 알게 해줌으로써 자신의 진로를 스스로 결정할 수 있도록 해주는 교육이 되어야 한다.

그러기 위해서는 다양한 내용의 교육이 제공되어야 하며, 교사의 역할

변화가 매우 중요하다.

교사의 역할은 더 이상 '지식의 전달자'에 머무를 수 없다.

4차 산업시대의 교사는 '지식의 전달자'이어야 할 뿐 아니라, 학생들이 스스로 자신의 적성과 능력을 찾을 수 있도록 도와주는 '조력자'로서의 역할도 담당하여야 한다.

이러한 일반 교육 과정 속에서 아동들은 스스로 자신을 발견하고, 자신에게 적합한 능력의 발현을 통해 창의성을 발휘할 수 있게 된다.

또한 지식의 전달 역시 수업을 통해서 이루어지기보다는 학생 스스로 필요한 지식을 찾아내어, 이를 토론하고 종합화할 수 있는 능력을 키워주는 조력자로서의 역할이 더욱 중요하다.

2) 윤리 교육: 사회 관계망 속에서 살아가는 지혜

다른 사람들과 '함께 살아갈 수 있는 지혜'를 가르치는 교육이다.

인간의 존엄성을 바탕으로 다른 사람들과의 관계망 속에서 자유롭게 서로 도우며 더불어 살아가는 데 필요한 지혜를 가르치는 교육이 이루어져야 한다.

앞에서 논의한, 유토피아가 실현되기 위한 조건으로서의 필요한 가치체계를 미래의 세대에 심어주는 가장 효과적인 수단이 교육인 까닭이다.

4차 산업시대에 필요한 새로운 가치체계의 핵심은, '나에서 우리'로, '경쟁에서 협력으로', '소유에서 공유로', '돈 중심에서 인간 중심으로'의 가치체계이다.

따라서 개인적 탐욕의 억제도 가르쳐야 하고, 직업 선택에 대한 관념도

'소득 창출을 위한 일'이 아니라 '즐길 수 있는 일'을 선택해야 함을 알려주어야 한다.

3) 전문교육: 사회에 이바지할 수 있는 전문 능력의 함양

전문지식과 기술을 습득할 수 있는 교육인데, 이는 주로 대학 및 대학원에서 이루어져야 할 교육 내용이다.

대학 및 대학원 교육은 이를 이수할 수 있는 적성과 재능을 가진 소수의 엘리트들을 대상으로 하여야 한다. 곧, 전문교육을 받는 엘리트들이 전문 직업에 종사하면서 사회에 이바지할 수 있도록, 필요한 전문지식과 기술을 교육하는 것이다.

이러한 교육 과정에서는 기존의 전문 지식과 기술에 자신의 창의성을 덧붙여 4차 산업시대에 필요한 새로운 지식과 기술로 발전시킬 수 있도록 교육이 이루어져야 한다.

이들은 자신이 획득한 기술과 지식을 사회를 위해 사용함으로써 사람들의 존경을 받는 계층이 될 것이다.

(2) 교육 방식의 변화

교육 방식의 변화는 4차 산업사회에서 필요로 하는 내용을 효과적으로 교육시키는 방식이 되어야 할 것이다.

그렇다면 4차 산업사회에서는 어떠한 교육 방식이 필요할까?

무엇보다도 4차 산업사회에서는 창의성 계발이 요구된다.

현재의 교육 방식이 4차 산업사회에서는 어떻게 변화하여야 할 것인가를 살펴보자.

1) 지식 전달에서 놀이 중심 교육으로

'놀이'는 다른 사람들과 함께 살아나가는 지혜를 학습하는데 효과적인 교육 수단이다. 또한 개인의 창의성을 키우는 데도 유용한 교육 방식이다.

지금까지 학교 교육은 주로 '지식의 전달'에 치중해 왔으나, 4차 산업시대에는 소수의 전문지식인과 다수의 일반 시민이 필요한 시대이므로 일반 시민으로서 이웃과 함께 살아갈 수 있는 교육이 무엇보다도 중요하다.

따라서 교실 수업을 통한 '지식의 전달'보다는 '함께 살아가는 지혜'에 대한 교육이 필요한 바, '놀이를 통한 학습' 방식이 훨씬 유용하다고 본다.

그렇다고 지식의 전달이 불필요한 것은 아니다.

예컨대, 초중등교육에서는 놀이를 통해 사회관계를 학습함으로써 '친구와 이웃과 함께 즐기며 사는 방법'을 배워야 하고, 4차 산업시대에 살아나가면서 알아야 할 최소한의 지식 전달 교육이 이루어져야 한다.

한편 대학과 대학원 등에서 이루어지는 고등교육의 경우에는 4차 산업시대에 필요한 지식들을 전수하여야 한다.

2) 수직적 수업 방식에서 수평적 수업 방식으로

지식의 전달 역시 교사가 학생을 가르치는 기존의 수업 방식에서 벗어나 학생 스스로 필요한 지식을 획득할 수 있는 능력을 개발하는 교육 방식으로 바뀌어야 한다.

지식의 습득 과정을 보기로 들건대, 교사와 학생의 수직적 관계에서 벗어나 학생 스스로 필요한 지식을 찾아내고 집단 토의 등 상호학습을 통해 문제풀이를 함께 함으로써 협업의 필요성과 함께 집단 창의성을 키우는 교육 방식이 그러하다.

이른바 교육학자들이 예측하는 4차 산업사회에서의 '거꾸로 학습(Flipped Learning)[13]을 통해서 학생이 주도하는 교육 방식이다.

3) 학과 중심에서 프로젝트 중심으로

4차 산업사회에서는 기존의 일률적인 과목 중심의 교실 수업에서 벗어나 각자의 취미나 관심에 따라 프로젝트를 중심으로 모여서 그에 필요한 지식을 흡수하고, 응용 능력을 키우는 학습 방법으로 바뀔 것이다.

이른바 동아리 중심의 활동을 통해 스스로 지식을 획득하고 나누는 교육 방식이 지식 습득의 효율성이나 창의성 발현에 훨씬 효과적일 것이다.

또한 이런 교육 방식은 협업의 중요성을 체험함으로써 '다른 사람들과 함께 살아가는 삶'의 가치를 깨닫게 해주는 데도 효과적이다.

한마디로 말해서, 이러한 교육 방식은 4차 산업사회에서 필요한 가치체계

---

13) 거꾸로 학습은 기존의 오프 라인 수업인 교실 수업에 정보통신 기술의 발전에 따른 온 라인 수업이 접목된 융합적 학습(Blended Learning)의 한 형태인데, '거꾸로'란 말 그대로 지금까지의 교육 방식이 뒤바뀐 학습 방법을 지칭하는 말이다. 곧, 학교에서 지식을 습득하고 집에서 복습하고 다시 학교에서 평가하는 방식이 아니라, 온라인이나 클라우드를 통하여 언제 어디서나 지식을 획득하고, 그것을 학교에서 토론하여 문제 해결 방법을 찾아내는 학습 방법이다. 이에 대해서는 방진하·이지현(2014), 최연구(2017), 조현국(2017), 임규정(2016) 등을 참조하고, 융합된 학습(Blendid Learning)에 관하여는 양금희(2015)를 참조할 것.

의 습득에 잘 부합하는 방식이라 할 수 있다.

(3) 교육 체제의 변화

1) 학교 제도의 개편

앞에서 논의한 교육 내용과 교육 방식이 적용되면, 기존의 학교체제는 대폭 개편될 것이다.

정보통신 기술이 접목된 융합적 학습(Blended Learning) 방식은 온 라인 수업을 통해 습득한 지식을 오프라인 수업인 교실 수업에서 토론하고 평가하는 방식의 온라인과 오프라인이 결합된 학습 방법'이다.

이 방식은 학생들 개개인에게 자신의 적성이나 능력에 맞추어 공부할 수 있는 '맞춤 교육' 환경을 제공해 주고 있다.

이러한 환경 하에서 지식의 습득은 주로 인터넷을 통해 습득된다. 온라인 강좌나 사이버 대학의 출현이 그 좋은 예이다.

또한 기존의 학교 교육에서는 선생이 학생을 대상으로 지식을 전달하는 방식이었으나, 4차 산업시대의 새로운 교육체계는 학생이 개별적으로 관심이 있는 부분의 지식을 스스로 인터넷을 통해 습득하고 프로젝트 동아리를 통해 토론하고 발전시키는 방식이다.

따라서 교사의 역할은 한편으로는 '지식의 전달자'이기도 하지만, 다른 한편으로는 '학습 조력자'로서의 역할을 가지게 된다.

따라서 현재의 학교 교육 체제는 디지털 기반의 이러한 교육 환경에 적합한 형태로 바뀌어야 한다.

또한 현재의 초-중-고-대학-대학원의 학제 역시 4차 산업사회에 필요한 교육 내용과 교육 방식이 변화함에 따라 새롭게 설계되고 바뀌어야 한다.

2) 무상교육 체제

4차 산업시대에는 자신의 적성과 능력에 따른 맞춤 교육이 이루어지는 시대이고, 개인의 적성과 능력의 개발은 4차 산업시대 정부의 의무인 까닭에 모든 교육은 무상으로 이루어져야 한다.

뿐만 아니라, 정보통신 기술의 발전에 따라 가능해진 대규모 온라인 공개강좌(Massive Open On-line Courses: MOOC)는 높은 수준의 지식들을 누구에게나 무료 또는 아주 저렴한 비용으로 제공할 수 있다. 이른바, 4차 산업사회에서는 지식의 공유가 가능한 사회인 것이다.

곧, 누구나 배우고 싶은 경우 무료로 배울 수 있는 교육 시스템이 성립되고 있는 것이다.

이러한 무상 교육 체제는 이 제도를 통해 얻은 지식과 기술을 '나' 뿐만 아니라 사회를 위해서 사용해야 한다는 당위성의 근거가 된다.

곧, 개발된 개인의 적성과 능력, 그리고 개인이 소유한 전문지식과 기술은 자신의 생활을 영위하기 위해서 뿐만 아니라 사회를 위해 써야 한다는 것은 당연하다.

4차 산업사회에서는 공유경제로 인한 '물질의 공유', 공유정치로 인한 '정부 결정의 공유' 뿐만 아니라, 공유지식으로 인한 '지식의 공유'와 공유문화로 인한 '즐김의 공유'가 이루어지는 사회가 될 것이다

3) 학교 교육에서 평생 교육으로

4차 산업사회에서 기술은 끊임없이 발전하고 사람들은 여기에 적응해야 한다. 예컨대, 기술의 발전에 따라 새로운 제품이 나오면, 적어도 이를 어떻게 사용할 수 있는지에 관한 지식이 필요하다.

따라서 기존의 학교 교육만으로는 충분하지 않다. 결국 필요한 지식을 그때그때 흡수하는 평생 교육 시스템이 중요한 역할을 할 것이다.

특히 4차 산업사회로의 이행에 따라 급속하게 변화하는 환경 속에서 제도 교육만으로는 그러한 변화를 따라갈 수 없으며, 사람들 사이에 정보 격차가 심화될 수밖에 없다.

따라서 이러한 정보 격차의 문제를 해소하기 위해서는 학교를 졸업한 후에도 급격한 사회 변화에 대응할 수 있는 적절한 평생 교육체제가 필요한 것이다.

결국 4차 산업사회에서의 교육체제는 학교 교육체제와 평생 교육체제로 분화되면서 발전할 것이다.

3. 복지정책

1) 복지 대상의 증대와 선별주의의 종식

4차 산업시대에 아무리 인공지능이 발달하고 기술이 발달한다고 해도 기계는 기계일 뿐이다. 곧 기계는 인간이 살아가는 보조 기능을 담당할 뿐

인 것이다.

4차 산업사회는 누구나 인간의 존엄성을 지키며 인간으로서 존중받으며 살아갈 수 있는 권리가 보장되는 사회가 되어야 한다.

그러나 4차 산업시대에는 산업구조 개편에 따른 구조적 실업자의 증대가 예상되고, 의료 기술의 발전에 따른 노인 인구의 증가가 예상되고, 소득의 양극화 현상으로 저소득자가 대폭 늘어나게 된다.

지금까지 복지의 대상으로는 노동능력이 없는 노인, 아동, 장애인 등 혼자 힘으로 살아가기 어려운 사람들, 곧, 소득이 없거나 취약한 사람들을 대상으로 하여 이루어져 왔다.

그러나 4차 산업시대에는 이들뿐 아니라 정상적인 노동능력이 있는 사람들도 복지의 대상이 될 수밖에 없다.

곧, 노동력을 기계가 대치하는 4차 산업사회에서는 대량의 구조적 실업이 예상되고, 경제적 소득 분포는 소수의 고소득자와 다수의 저소득자(또는 무소득자)로 양분될 것이기 때문이다.

결국 복지 대상의 선정과 관련한 선별주의와 보편주의 논쟁은 종지부를 찍고, 전 국민을 대상으로 하는 보편주의 복지정책으로 변화해야 할 것이다. 다시 말해서 현재의 복지정책 체계는 전 국민을 대상으로 하는 기본소득제도의 도입을 근간으로 하는 새로운 복지체계로 대폭 개편되어야 한다.

이 때 늘 문제가 되는 것이 재원이다.

곧, 보편주의적 기본소득 제도의 도입은 많은 예산을 필요로 하는데, 이것은 기존의 복지제도를 축소시켜 나감에 따라 절약되는 예산과 증세를 통해 확보되는 재원의 두 가지에 의해서 충당된다.

2) 복지체계의 전면적 개편 방향

4차 산업시대에는 전 국민이 복지의 대상으로 변화하는 까닭에 현재의 사회복지체계는 국민들의 최저생활을 보장하는 보편주의 복지체계로 전면 개편되어야 한다.

이를 좀 더 구체적으로 살펴보자.

현재 사회복지체계는 세금을 재원으로 하는 공공부조와 보험료를 기반으로 하는 사회보험(국민연금, 건강보험 등)을 두 축으로 하고, 이 두 복지체계와 별도로 사회적 취약계층을 대상으로 하는 사회서비스 제도가 이를 보완하고 있다고 볼 수 있다.

반면에 앞으로 4차 산업사회의 복지체계는 전 국민을 대상으로 기본소득제도를 도입함으로써 공공부조의 기능이나 대상이 대폭 확대 강화될 것이다.

한편 갹출금(보험료)을 재원으로 하는 사회보험제도는 공공부조를 보완하는 제도로 그 기능이 대폭 약화되거나 사라질 것으로 예상되며, 사회서비스 제도는 기본소득 제도를 보완해주는 형태로 잔존할 것으로 본다.

이를 〈그림 2〉와 함께 하나씩 살펴보면 다음과 같다

① 공공부조 제도의 강화

현재의 공공부조 체계는 기본소득 제도를 중심으로 대폭적으로 개편되어야 할 것이다.

현재는 노동능력이 없는 사람들, 예컨대, 고아, 노인, 장애인 등 생활무능력자를 대상으로 공공부조가 이루어지고 있으나, 앞으로는 전 국민을 대

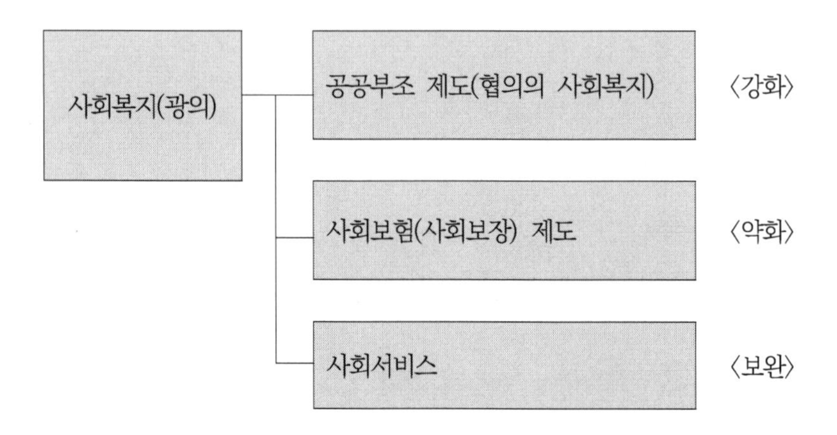

〈그림 2〉 4차 산업시대의 사회복지제도

상으로 기본소득을 보장해주는 공공부조 체제로 나아가야 할 것이다.[14]

예컨대, 기존의 낡은 복지 패러다임에서 벗어나 현재 유럽에서 논의되고 있는 기본소득 제도의 도입을 통해 전 국민에게 최저한의 생활을 할 수 있도록 기본소득을 보장해주어야 한다.

그러기 위해서는 현재 시행되고 있는 각종 공공부조 제도를 전면 재편하여 기본소득 중심의 복지체계로 바꾸어야 한다.

4차 산업사회에서는 국민들 개개인 모두가 정부에서 지급해주는 기본소득에 의해 의식주의 기본적인 생활을 영위할 수 있어야 하고, 자신이 좋아서 하는 일로부터 생기는 소득으로 자신의 삶을 즐기며 살 수 있는 사회가 되어야 한다.

---

14) 전 국민에게 기본소득을 보장하는 공공부조 체제에서는 더 이상 자산 조사나 복지 수요에 관한 조사가 필요 없다.

② 사회보험 제도의 약화

반면에 사회보험 제도는 대폭 약화될 것으로 본다.

노후 생활을 위해 설계되었던 국민연금 등 공적 연금제도는 새로 확대되는 공공부조 체계에 의해 기본소득이 보장되므로 그 존재 가치를 상실하거나, 기본소득을 보완해주는 역할을 담당하는 방향으로 대폭 축소될 것이다.

한편 건강보험 역시 대폭 축소될 것이다.

4차 산업시대에는 의료기술의 발전과 함께 인공지능의 발전으로 인해 의료비용이 대폭 감소될 것이기 때문이다. 또한 4차 산업사회는 무상의료를 원칙으로 삼아 국가가 국민들의 건강을 보호해주는 사회인 까닭에, 사회보험으로서의 건강보험 역시 소멸되거나 대폭 축소될 것이다.

이런 점에서 볼 때, 본격적인 4차 산업시대로 이행해 나가면서 건강보험 제도에서 개인이 지급하던 건강보험료는 계속 인하되다가 없어질 것이다.

국민연금이나 실업보험 역시 기본소득에 의해 대체되므로 거의 불필요하게 된다.

한편 이와는 전혀 다른 관점에서 보더라도, 국민연금이나 건강보험 등 각종 사회보험 제도는 기금 고갈에 따라 세금으로 보충해나가는 것이 현실이므로 결국 축소 폐지해야 하고, 그에 따른 복지 수요는 기본소득 제도에 흡수될 것이다.

결국 현재 사회복지의 양대 축이었던 사회보험 제도는 대폭 축소되고, 약화될 것으로 예상된다. 설령 남아있다고 하더라도 공공부조 제도의 보조 기능을 할 뿐이다.

③ 사회서비스 제도의 유지

한편, 사회적 취약계층을 보호하기 위한 사회서비스 제도는 기본소득을 보장하는 공공부조 제도를 보완해주는 역할을 계속 담당할 것이다.

이 제도는 공공부조에 의한 복지서비스가 해결하기에는 부족한 부분을 사회적 취약계층의 특성에 따라 주로 현물 서비스를 통해 보완하는 역할을 담당하였는데, 이러한 역할은 앞으로도 계속될 것으로 보인다.

다만 4차 산업사회에서 공공부조제도를 대치하여 설계되는 기본소득제도의 모형에 따라 사회서비스제도의 기능이나 역할이 결정될 것으로 본다. 곧, 높은 기본소득 모형을 채택하는 경우, 사회서비스 제도는 약화될 것이고, 낮은 기본소득 모형을 채택하는 경우에는 사회서비스제도는 존속 유지될 것이다.

4차 산업사회에서 보편주의 원칙에 따른 기본소득과 이를 보완해주는 사회서비스 제도가 가계소득을 결정하는 가상적인 예를 들어보자. 이때, 기본소득으로 매월 일인당 50만원이 지급된다고 가정하고, 이를 보완해주는 사회서비스로 아동수당(보육수당)이 매월 일인당 40만원이라고 상정하면, 매월 가계소득(총소득)은 〈표 2〉와 같이 결정될 것이다.[15]

예컨대, 노동능력이 있는 성인이 혼자 사는 경우의 가계소득은 기본소득 50만원과 근로 소득에 의해 총소득이 결정될 것이고, 노동능력이 있는 부부의 경우 가계소득은 기본소득 100만원(50만원 x 2인)과 여기에 근로 소득

15) 이 〈표 2〉는 기본소득 제도가 완전 실현된 경우를 가상하여 기본소득 제도와 사회서비스 제도의 관계를 보여주기 위한 가상적인 예이다. 기본소득 제도를 처음 도입할 때에는 예산상의 제약과 기존 복지제도의 저항 때문에 기본소득 금액이 이보다 훨씬 낮추어질 것이다.

〈표 2〉 기본소득과 사회서비스제도에 따른 가구당 총소득

단위: 만원

	기본소득 50만원/인	사회서비스*	가계소득 (총소득)
노동능력이 있는 1인 가구	50		50 + 근로소득
노동능력이 있는 부부	100		100 + 근로소득
부부와 18세미만 아동 하나	150	40	190 + 근로소득
부부와 18세미만 아동 둘	200	80	280 + 근로소득
부부와 18세미만 아동 셋	250	120	370 + 근로소득

* 사회서비스에서는 아동수당(보육수당)을 아동 1인당 40만원으로 책정한 경우를 상정한 것이다. 여기에서 아동에는 임신 상태를 포함한다.

이 더해질 것이다.

한편 부부와 18세 미만의 아이(임신 포함)로 구성된 가구의 경우 가계소득은 기본소득 150만원(50만원 × 3인)과 아동수당(또는 보육수당) 40만원이 합해진 190만원에 근로 소득이 더해질 것이다.

만약 부부와 아동 둘로 구성된 가족의 가계 총소득은 기본소득 200만원(50만원 x4인)과 아동수당 80만원(40만원 x2인)을 합친 280만원에 근로소득이 더해질 것이고, 부부와 아동이 3인 경우에는 기본소득 250만원(50만원 × 5인)과 아동수당 120만원(40만원 x 3인)을 합한 370만원에 근로 소득이 합쳐진 것이 가계 총소득이 될 것이다.

3) 복지체제의 개편 전략

4차 산업사회에서의 사회복지체계는 전 국민을 대상으로 하는 '기본소득제도'를 도입함으로써 기존의 공공부조, 사회보험, 사회서비스 제도는 앞에서 언급한 바와 같이 대폭 개편될 수밖에 없다.

문제는 4차 산업사회에서 정보통신기술과 융합 기술의 급속한 발전에 따라 사회적 변화가 혁명적으로 바뀐다 하더라도, 기존의 사회제도가 이 변화의 속도에 맞추어 제 때 제 때 바뀌지는 않는다는 데 있다.

결국 우리가 논의하려 하는 것은 사회 변화에 대응하는 새로운 복지체제를 갖추는 것인데, 아무리 미리 준비한다고 하더라도 새로운 체제가 가동하는 것은 늦어질 수밖에 없을 것이다.

그러나 이러한 변화에 대응하기 위해서 전략상 사회복지 체제의 변화에 대한 유형을 어느 정도 모형화하여 논의하고 준비해 놓을 수는 있을 것이다.

물론 사회 변화의 내용이 어떻게 구성되느냐에 따라, 그리고 정치체제나 정부의 기능 변화 수준(예컨대, 가용 예산의 범위)에 따라 복지체제의 변화 역시 달라질 것임은 분명하지만, 사회 변화의 내용이나 정치체제와 정부 기능의 변화를 주어진 것으로 놓고서, 단지 복지 수요에 따른 기본소득의 도입과 관련하여 시간의 흐름에 따른 복지체제의 개편을 대략적으로 제시하면 다음과 같다.

① 지급 대상의 확대를 중심으로 접근하는 방법

예산의 제약 때문에 우선 기본소득의 지급 대상을 현재의 생활보호대상자에서 실업자까지 한정시켜 지급하면서 점점 전 국민으로 확대해 나가는 선별주의 접근방법을 생각해 볼 수 있다.

이 경우, 기존의 국민기초생활보장법에서 보호하던 생활보호대상자(기초생활수급자)가 실업자까지 확대되는 기본소득 제도가 도입되면, 국민기초생활보장법이 폐지되거나 바뀌게 됨은 물론이지만 현재의 사회복지제도 중 많은 것들이 그대로 존속하게 된다.

실업자의 수는 4차 산업사회에서 계속 늘어나므로 결국 전 국민을 대상으로 하는 기본소득 제도로 이행하게 되는데, 문제는 수급대상자의 선정이 번거롭고 행정 비용이 많이 들며, 수급자에 대한 부정적 이미지를 심어주는 낙인 효과가 발생한다는 점이다.

기본소득을 현재의 기초생활수급자로부터 4차 산업사회에 발생하는 실업자들에게까지 점차 확대 적용하다가 나중에 전 국민으로 확대하는 이 방법은 대상 선정 절차가 까다롭고, 시행 과정에서 갈등이 유발되기 쉽다.

또한 이러한 전략을 채택하게 되면, 현재의 복지체제가 조금씩 변화한다는 장점이 있을 수 있으나, 지나치게 복잡한 복지체제를 가지게 되어 예산의 효율성이라는 점에서 한계가 노정될 것이다.

② 지급 금액의 확대를 중심으로 접근하는 방법:

전 국민 대상의 기본소득을 도입하되 그 금액을 4차 산업사회의 진행에 따라 점점 확대해 나가면서 현재의 공공부조 제도와 사회보험 제도 및 사회서비스 제도 등을 조금씩 축소시켜가는 방법도 생각해볼 수 있다.[16]

---

16) 이른바, 자산조사(means test) 없이 전 국민을 대상으로 한다는 보편주의 원칙에 따라 기본소득제를 도입하는 전략이다. 이 경우 행정 비용이 들지 않고, 낙인 효과도 발생하지 않으며, 긴급한 상황에서 시행하기가 용이하다.

예컨대, 이번 코로나 사태에 대응하여 지급된 긴급재난지원금처럼 현재의 국민기초생활보호법을 그대로 놔둔 채 기본소득의 이름으로 전 국민에게 일정 금액을 지급하는 방법이다. 그리고 다른 소득 없이도 기본적인 생활을 할 수 있을 만큼 그 금액을 점점 늘려나가는 방법이다.

이 경우, 다른 소득원, 예컨대, 근로소득, 사업소득, 연금소득 또는 자산소득 따위가 있는 경우, 이들 소득에 대한 점진적인 증세를 통해 기본소득에 필요한 재원을 확보할 수 있다.

기초생활수급자의 경우에도 기본소득이 지급되면, 생계급여의 지급 금액을 점점 낮추어 나가다가 기본소득이 기초 생활에 필요한 금액만큼 도달하게 되면 생계급여 제도는 폐지될 것이다.

예컨대, 현재 기초생활수급자의 생계급여는 기준 중위소득 30%에 맞추고 있으나, 기본소득이 늘어남에 따라 이 기준을 낮추는 방식이 될 것이다.

이러한 방식은 다른 복지제도들을 서서히 축소하다가 폐지시켜 버리고 기본소득 제도를 근간으로 새로운 복지체계를 점진적으로 완성하는 방법이다.

이를 몇 단계로 나누어 요약하면 다음 〈표 3〉과 같다.

여기에서 인간다운 생활을 영위하는 데 필요한 최저한의 소득을 최종적 단계에서 지급하는 기본소득(100%)이라고 볼 때, 각 단계별로 기본소득 도입 수준에 따라 기존 복지제도가 어느 정도 축소되어야 하는지를 보여 준다.[17]

예컨대, 기본소득 도입 단계에서 최저생활비의 10%를 기본소득으로 지

---

17) 그러나 여기에서 기존 복지제도의 축소 폐지 비율은 가상적인 것이다. 다만 기존 복지 제도에서 지급되는 총 금액의 축소 비율 정도로 생각하면 된다.

〈표 3〉 기본소득의 도입에 따른 기존 복지제도의 축소 비율

	기본소득제도 도입		기존 복지제도 축소
1단계	10%	⟶	10%
2단계	30%	⟶	30%
3단계	50%	⟶	50%
4단계	70%	⟶	70%
5단계	100%	⟶	90%

* 각 칸의 %는 기본소득의 도입 수준과 기존 복지제도의 축소 수준을 나타낸다.

급하게 되면, 기존 복지제도 중 일부를 축소하거나 폐지하여야 한다. 만약 기본소득의 50%를 지급한다면, 기존 복지제도의 50% 정도가 축소 폐지되어야 함을 의미한다.

만약 기본소득이 최저생활비를 보장하게 되면, 다시 말해서 기본소득이 기본 생활에 필요한 소득의 100%가 지급되면, 기존 복지제도는 약 90% 정도 폐지될 것이고 약 10% 정도가 남아서 기본소득제도를 보완하는 장치로 기능할 것이다. 예컨대, 기본소득으로 최저생활이 보장된다 하더라도, 장애인, 아동, 노인 등 사회적 취약계층에게는 이들의 취약점을 보완하기 위한 사회서비스 제도가 존속할 것이기 때문이다.

앞에서 논의한 바와 같이 전 국민을 대상으로 하는 기본소득이 최저한의 인간다운 생활을 할 수 있을 정도로 확대되면, 기존의 복지제도 가운데

공공부조 제도는 기본소득 제도로 대치되고, 사회보험 제도는 거의 대부분 대폭 축소될 것이고, 사회서비스 제도 역시 축소되기는 하지만 잔존할 것이다.

한편 4차 산업사회에서 국민들은 기본소득으로 의식주 등 기본 생활을 해결하고, 근로소득이나 연금 소득, 또는 자산 소득으로는 취미 활동 등 삶을 풍요롭게 하는 데 사용한다.

이를 단계별로 살펴보면 다음 〈표 4〉와 같다.

〈표 4〉에서 기본소득제도와 기존 복지제도에 표시된 비율들은 기본소득제도와 기존 복지제도가 기초생활비에서 충당하는 비율을 의미하고, 기타

〈표 4〉 기본소득과 기존복지제도 및 기타소득이 개인 총소득에서 차지하는 비율(가상적인 예)

	개인 총소득			근로소득에 대한 세율의 가상적인 예	자산소득에 대한 세율의 가상적인 예
	기본소득 제도	기존 복지제도	기타 소득*		
1단계	10%	90%	90%	10%	20%
2단계	30%	70%	80%	20%	30%
3단계	50%	50%	70%	30%	40%
4단계	70%	30%	60%	40%	50%
5단계	100%	10%	50%	50%	60%

* 기타 소득은 근로소득, 사업소득, 연금소득, 자산소득(이자 소득, 배당소득) 에서 세금을 제한 소득을 말한다.

소득에서 나타나는 비율은 개인의 근로소득, 사업소득, 연금소득, 자산소득(이자소득, 배당 소득 따위) 등에서 세금을 제하고 남는 순소득으로서 기본소득을 보완해주는 소득이다,

〈표 4〉에서 1단계는 기본소득 제도가 처음 도입되는 단계로서 개인이 기본적으로 생활하는 데 필요한 금액의 10%를 기본소득이 지급하는 경우인데, 기타 소득이 없는 생활보호대상자의 경우에는 기존 복지제도에서 90%의 소득 보전을 받고 있음을 의미한다.

그러나 근로소득이나 사업소득 또는 자산소득이 있는 경우에는 기존 복지제도의 지원이 없이 자신이 벌어들인 근로소득 가운데 10%를 세금으로 내고 90%를 생활비로 사용하는 것을 의미한다(물론 여기에서 10%의 세금이란 근로소득에 부과하는 세율을 뜻하지만, 자산소득 등 무노동소득에서는 세금 비율이 그 금액에 따라 누진적으로 훨씬 높아져야 할 것이다).

2단계, 3단계 4단계로 나아감에 따라 기본소득이 생활비에서 차지하는 비율이 기초생활비에 가까워지다가 5단계에 이르러서는 기본생활비의 100%가 기본소득으로 지급된다.

또한 2, 3 ,4, 5단계로 나아감에 따라 기존 복지제도는 축소되고, 기타 소득이 개인의 총소득에서 차지하는 비율은 낮아진다.

예컨대, 월 기초생활비가 일인당 단순하게 100만원이라고 가정하는 경우, 1단계에서는 생활보호대상자의 경우 기본소득으로 10만원이 지급되고, 기존 복지제도에서 90만원을 보충하게 된다.

만약 월 200만원의 근로소득이 있는 사람의 경우에는 기본소득 10만원과 근로소득에서 세금을 제한 180만원을 더한 190만원이 된다.

기본소득 제도가 차지하는 비중이 점점 높아져가는 경우를 예로 들어 3

단계에서의 기초생활보호자의 경우, 기본소득 50만원에 축소된 기존 복지제도에 의해 50만원이 보충되어 100만원의 소득이 보장된다.

마찬가지로 3단계에서 월 200만원의 근로소득이 있는 사람의 경우에는 기본소득 50만원에 근로소득에서 세금을 제한 140만원을 합친 190만원이 된다.

기본소득이 기초생활비의 100%를 충당하게 되는 5단계에서 기초생활보호자는 기본소득 100만원과 잔존하는 복지제도에서 10만 원 정도의 보조를 받아 총소득은 110만원이 되며, 월 200만원의 근로소득자는 기본소득 100만원에 세금을 제한 근로소득 100만원이 더해져서 총소득은 200만원이 된다.

무노동 소득인 자산 소득의 경우에는 〈표 4〉의 세율이 자산소득의 금액에 따라 누진될 것이지만,[18] 〈표 4〉의 가상적인 예에 따라 개인의 총소득을 계산해볼 수 있을 것이다.

4. 조세정책

1) 조세수입의 증대: 증세

4차 산업시대에는 복지체계가 기본소득 중심으로 대폭 개편됨으로써 이에 필요한 재원의 필요성 때문에 대폭적인 증세가 이루어질 것이다.

---

18) 여기에서는 단지 무노동 소득금액의 한 가지 경우를 상정한 세율이다. 만약 무노동소득 금액이 높아진다면, 세율 또한 누진적으로 높아질 것이다.

또한 4차 산업시대에는 소득불균형 현상이 심화되므로 이를 시정하기 위해서도 대폭적인 증세가 필요하다. 곧, 증세를 통한 소득재분배 기능이 강화될 것이다.

옛날에는 많은 인력이 단순노동에 종사하며 많은 수익을 얻어 비교적 소득불평등이 높지 않았으나, 3차 산업을 거쳐 4차 산업시대로 이행하면서 전문지식과 기술을 가진 적은 인구가 많은 수익을 차지하고, 많은 인구는 적은 수입을 가지는 형태로 사회가 변화된다.

예컨대, 상위 소득계층 1%가 국민소득의 50% 이상을 차지하고, 10%가 90% 이상을 차지하여, 전 국민의 90%가 빈곤선 이하에 놓이는 기형적인 소득불균형 사회를 방지하기 위해서라도 정부는 증세정책을 써야 한다.

예상하건대, 무노동 소득에 대한 누진적 소득세율을 연차적으로 높여나감으로써 대폭적인 증세를 해야 할 것이다.[19]

이를 위해서는 기본소득제가 도입되는 도입 단계에 따라 소득구간에 대한 세율 조정이 이루어져야 한다.

기하학적으로 많은 소득을 창출하는 상위 소득계층은 자신이 번 돈이 자신의 것이 아니라는 인식을 해야 한다. 곧, 자신의 능력이나 재능은 하늘

---

19) 예컨대, 이자소득이나 배당소득, 부동산 양도소득세 등 무노동 소득의 경우에는 누진적 과세율을 최고 90%까지 높여야 할 것이다. 근로소득보다 훨씬 높아야 함은 물론이다.

근로소득의 경우에도 기본소득제도가 5단계에 이르는 경우의 가상적인 예를 들어보자. 연 근로소득액이 3천만 원 이하는 30%, 3천만 원 이상 5천만 원 미만인 경우에는 40%, 5천만 원 이상 1억 미만인 경우에는 50%, 2억 이상 3억 미만인 경우에는 근로소득세율을 60%, 3억 이상 5억 미만인 경우에는 70%를 적용하고, 5억 이상인 경우에는 80%를 적용할 수 있을 것이다.

이나 사회에서 받은 것이므로 사회에 환원해야 한다는 믿음을 가져야 한다.

반면에 일반 국민들은 상위 소득계층이 사회에 이바지하는 것을 감사히 여기고 존경하여야 한다.

2) 조세 지출의 증대: 공공서비스의 확대

증세로 인해 확보된 재원은 확대된 국민들의 기본소득을 보장해주기 위해, 그리고 장애인, 아동, 노인, 여성 등 사회적 취약계층을 보호하는 데 쓰일 것이다. 뿐만 아니라, 4차 산업시대에 확대되는 공공서비스의 제공에도 사용할 것이다.

4차 산업시대에는 기본소득 보장은 물론, 무상의료, 무상교육, 무상보육 제도가 성립될 것이다. 나아가 개인이 부담하는 교통 통신비 역시 감소하다가 결국 무료가 될 것이다.

예컨대, 무인자동차의 출현에 따라 모든 교통수단의 운영비가 대폭 감소됨에 따라 국민들 개개인의 교통비는 줄어들 것이다. 나아가 정부가 모든 교통수단을 통제하고 교통비를 부담할 가능성이 높다. 또한 통신비 역시 기술의 발전에 따라 인하되다가 무료가 될 것이다.

따라서 증세에 의해 마련된 재원은 이러한 공공서비스의 확충에 충당될 것이다.

5. 기타: 법, 제도의 정비

4차 산업시대에는 새로운 기술과 산업의 발전에 따르는 새로운 법제도의 정비가 요구된다.

예컨대, 자율주행차가 실용화될 것이고, 소형 자가용 비행기의 등장 등에 대비하여 교통법규의 전면적 정비가 필요할 것이다. 또한 가상화폐의 사용, 인공지능의 발달 등등에 대비하여 이들을 규제하거나 사용하는 데 필요한 법제도의 개편이 요구될 것임은 자명하다.

뿐만 아니라 정부의 구조 자체도 정부의 재분배기능 강화나 무상의료, 무상교육, 무상보육 등에 따라 대폭적으로 개편될 것이고, 이에 관련된 모든 법이나 제도가 이러한 변화에 맞추어 새로 제정되거나 개정되어야 할 것이다.

문제는 4차 산업시대에 이루어지는 정치 경제 사회 문화적 변화는 그 내용상으로 대폭적인 변화가 이루어질 것이 예상되고, 또한 그 변화의 속도가 가공할 정도로 빠르다는 데 있다.

따라서 이러한 4차 산업사회에 진입하면서 생기는 급격한 사회변화에 따른 사회적 혼란을 최소화하고 4차 산업사회에 무사히 안착하기 위해서는 정치 경제 사회 문화 등 모든 분야에서 필요한 법과 제도 등을 마련하기 위한 사전 작업이 필요하다.

곧, 4차 산업사회에 필요한 법과 제도 등에 관해서는 예상되는 변화를 미리 예측하여, 예측된 변화에 적합한 법과 제도 등을 미리 설계하고 준비해 놓아야 한다.

IV. 결론

지금까지 4차 산업시대를 맞아 예상되는 변화를 이야기하고, 그 변화에 맞추어 정부가 해야 할 일에 대해 그 방향을 살펴보았다.

4차 산업사회에서는 산업구조의 개편, 생산수단의 공유와 소비재의 공유, 기계화에 따른 대량 실업의 발생, 재택근무 중심의 노동환경 변화, 전자화폐 등의 사용 등 경제적 변화가 예상되고, 급격한 삶의 환경 변화에 따른 사회적 아노미 현상, 소외된 인간의 양산, 소득 양극화에 따른 사회계층간 갈등의 심화, 그리고 이에 따른 복지 수요의 급증이 예상된다.

따라서 사회계층간 정치적 대타협의 필요성이 증대되고, 정부의 사회통합 기능이 강화되는 정치적 변화가 예견된다.

또한 정보통신 기술의 발전은 대의제민주주의 체제로부터 온 국민이 참여하는 직접민주주의 체제인 전자민주주의 체제로의 이행을 가능케 하거나, 반대로 인공지능을 장착한 로봇이나 CCTV 등 발전된 첨단 기술을 악용해 국민들을 통제하는 독재체제로의 이행이 예견된다.

결국 4차 산업사회가 경제적 불평등이 심화되고, 사회적 혼란이 가중되며, 국민을 통제 억압하는 독재체제의 디스토피아가 될 것인지, 경제적 풍요 속에서 서로 돕고 즐거움을 나누며, 자유를 만끽하는, 참여민주주의가 실현되는 유토피아 사회가 될 것인지는 우리가 어떻게 4차 산업사회를 준비하느냐에 달려 있다.

4차 산업사회를 유토피아로 끌어가기 위해서는 '나' 중심의 개인주의 가치가 '우리' 중심의 공동체주의 가치로, '돈' 중심의 가치가 '인간' 중심으로,

'경쟁'의 가치가 '협력과 공생'의 가치로 전환되는 새로운 가치체계의 정립이 필요하다.

4차 산업사회는 일과 노는 것의 경계가 없어지는 사회이다. 곧, 일이란 소득을 얻기 위해서보다는 즐거워서, 하고 싶어서 하는 일이 되어야 한다.

4차 산업사회는 이러한 가치관의 변화와 더불어 소득 양극화에서 오는 문제를 해결하기 위해 사회계층간의 대타협이 필요한 사회이다.

이 사회에서는 계층 간의 타협을 통해 경제적 부를 독점하는 소수의 탐욕을 억제하고, 정부의 소득 재분배 기능을 강화시켜 공생(共生)의 가치를 실현하는 사회가 되어야 한다.

따라서 4차 산업사회는 대타협을 이루어내는 정치인들의 역할이 매우 중요시되는 사회이고, 사회적 변화에 걸맞는 법과 제도 등을 정비하고, 새로운 가치체계를 수립하여 국민들을 사회화하는 데 정부 관료들이 앞장서야 하는 사회이다.

이 글에서는 4차 산업사회에서 정부가 해야 할 일들을 교육정책, 복지정책, 조세 정책 등으로 나누어 간략히 살펴보았다.

교육정책은 4차 산업사회에서 추구해야 할 가치체계를 수립하고 국민들을 사회화시키는데 가장 강력하고 중요한 수단이 된다. 따라서 이 글에서는 4차 산업사회에서 요구하는 교육 내용, 교육 방식, 교육체제 등에 대한 방향을 제시하고 있다.

곧, 4차 산업사회에서 필요한 사람들을 육성하기 위한 주요 교육 내용은 자아를 찾아내는 일반 교육, 사회관계망 속에서 살아가는 지혜를 기르기 위한 윤리 교육, 4차 산업사회에 이바지할 수 있는 전문 능력을 함양하는 교육 등을 들고 있다.

한편 이러한 교육 내용에 맞추어 교육 방식도 지식 전달 중심에서 놀이 중심 교육으로, 수직적 교육 방식에서 수평적 교육방식으로, 학과목 중심의 지식 전달 교육에서 프로젝트 중심의 자가 학습 교육으로 교육 방식이 대폭적으로 바뀌어야 하고, 교육체제 역시 대폭적인 변화가 이루어져야 한다고 본다.

곧, 현재의 초-중고-대-대학원의 학제 역시 새 시대에 맞추어 대폭 개편되어야 할 뿐 아니라, 무상교육으로서의 학교교육과 역시 무상교육으로서의 평생교육 체제가 병행하여 발전해 나가야 한다고 주장한다.

한편 4차 산업사회가 그 경제적 풍요로움에 반하여 소득의 양극화 현상이 심화되는 까닭에 이를 해결하기 위한 복지제도 역시 대폭 개편되어야 한다.

4차 산업사회에서는 실업 인구와 노인 인구가 급증하여 복지 대상이 크게 확대되는데, 이 복지 수요를 충족시키기 위해서는 선별주의 복지제도가 전 국민을 대상으로 하는 보편주의 복지체계로 전면적 개편이 이루어져야 한다.

이 글에서는 기본소득 제도를 근간으로 기존의 공공부조 체계가 대폭 수정되어야 하고, 사회보험 제도는 점점 약화되어 사라질 것이고, 사회적 서비스 제도는 약화되면서 잔존할 것으로 내다보면서 이에 대한 몇 가지 가상적 사례를 제시하고 있다

이러한 가상적 사례는 4차 산업사회로 이행해나가면서 후학들에 의하여 좀 더 정치화되고 구체화 될 수 있을 것이다.

한편 4차 산업사회에서의 복지에 소요되는 비용의 문제를 해결하기 위해서는 대폭적인 증세가 필요하다. 근로소득에 대한 세율뿐만 아니라 이자

소득, 배당소득 등 무노동 자산 소득에 대한 세율을 대폭 확대하여야 한다.

4차 산업사회는 국민들의 최저 생활을 국가가 보장하는 대신에 국민들 개개인이 일하여 번 소득의 많은 부분이 세금으로 정부에 환수되어 공공서비스의 증대에 사용되어야 한다.

끝으로 4차 산업사회에 필요한 법, 제도의 정비가 요구되는 바, 예컨대, 정부의 재분배기능 강화나 무상의료, 무상교육, 무상보육 등에 따라 정부체제 역시 대폭적으로 개편될 것이고, 이에 관련된 모든 법이나 제도가 이러한 변화에 맞추어 새로 제정되거나 개정되어야 한다.

그러나 4차 산업시대로의 진행은 그 속도가 무척 빠른 까닭에 이러한 급속한 사회변화 속에서 과연 우리가 기대하는 대로 변화를 끌어낼 수 있을 것인가?

어떠한 변화가 어떻게 이루어질 것인가는 우리가 4차 산업시대에 대한 준비를 어찌하느냐에 따라 전적으로 우리의 선택에 달려 있는 것이다.

이 글이 금과옥조는 아니다. 얼마든지 쓴 이의 생각과 다른, 4차 산업시대에 예상되는 문제들을 해결할 방안들도 있을 것이다.

다만, 이 글에서는 4차 산업사회에서 우리가 취해야 할 선택 방향을 제시하였다는 점에 의미를 두면서, 4차 산업사회에 진입하면서 우리가 대처해야할 상황에 대해 어떻게 준비할 것인지에 관한 논의가 활발히 이루지고 그럼으로써 슬기롭게 새로운 삶의 환경에 적응해나가는 기폭제가 되었으면 한다.

덧붙이는 말: 코로나 사태와 4차 산업사회

이번 코로나 사태는 4차 산업시대에 들어가기에 앞서 4차 산업사회에 필요한 여러 조건들, 또는 장치들에 관한 좋은 실험 기회가 되리라 생각한다.

2020년 중국 무한에서 발생한 COVID 19('코로나 사태')는 수많은 사망자를 내면서 전 세계를 공포에 떨게 하며 기존의 사회 정치 경제 체제를 무력화시키고 있다.

그러나 이 질병이 우리에게 4차 산업사회에 필요한 새로운 정치 경제 사회체제에 관한 새로운 팁을 제공하고 있다면 이는 역설일까?

코로나 사태로 인해 학교는 문을 닫고 온라인 강의를 통해 지식을 전수하는 방식으로 교육방식이 변화되고 있고, 회사 역시 출근하여 얼굴을 맞대고 회의를 하거나 업무를 진행하던 것이 화상회의와 재택근무로 대체되고 있다. 또한 많은 음식점들이 온라인 주문을 통해 음식을 배달해주는 행태로 변화하고 있다.

사회적으로는 모임이 자제되고 사회적 거리두기에 따라 만남을 통한 인간관계는 약화되고, 경제가 마비되는 상황은 많은 실업자를 양산하고 있어 세계 각국 정부는 긴급재난지원금을 지급하고 있다.

다른 한편으로는 이 질병이 팬데믹하게 전 세계로 퍼져 나감으로써 전 세계 경제가 동반하여 침체 상태가 되고, 공장이 멈춤으로써 환경의 질은 오히려 개선되고 있다.

이러한 현상은 우리가 진입하고 있는 4차 산업사회에서 나타날 것으로 예상되는 현상과 비슷하다.

따라서 COVID 19 상황 속에서 우리는 4차 산업사회에서 우리가 준비하고 선택해야 할 많은 것들을 조금이나마 실험하고 경험할 수 있다. 곧, 코로나 사태는 우리가 4차 산업사회에 들어가기 위한 예행연습을 할 수 있도록 하늘이 준 기회인 것이다.

1) 기본소득에 관한 실험의 좋은 기회.

평상시 같으면 우리나라에서 기본소득 논의조차도 어려웠을 것이다.

어차피 4차 산업시대에는 대부분의 사람들은 실업자가 되고 소수의 엘리트가 소득을 독점하는 사회가 예상되므로 소득 격차의 극심화와 함께 경제의 정체 현상이 가속화될 것이므로, 증세와 기본소득 제공을 통한 정부의 소득재분배 기능이 제일 중요한 기능이 될 것이다.

이번 코로나 사태는 기본소득이 경제에 미치는 영향을 살필 수 있는 좋은 실험 기회이다.

소득성장론에 따르면, 국내 경기가 침체된 가장 큰 이유는 내수가 살아나지 못하기 때문으로 본다. 국내 소비가 이루어지지 않는 이유는 소득의 편중이 심해짐에 따라 소득 하위 계층의 구매력이 약화되었기 때문이다.

따라서 저소득층의 소비를 진작시키기 위해서는 이들의 구매력을 강화시켜야 하는데. 정부는 사회복지비의 지출을 확대함으로써 소득 하위 계층의 구매력을 향상시키고 이들의 소비를 진작시킬 수 있다. 그리고 소비의 증대는 투자를 유인하고 생산으로 연결될 것이다.

이번 코로나 사태는 이러한 소득성장론이 경제적으로 어떠한 효과가 있는지를 실험할 수 있는 좋은 기회이다.

다시 말해서, 이번 코로나 사태로 인해 세계의 각국 정부는 국민들의 기본적인 생활을 보호하기 위해서 '긴급재난지원금'을 국민들에게 투입하고 있는데, 이러한 긴급재난지원금이 경제에 어떤 영향을 미치는가를 밝혀냄으로써 소득성장론을 검증할 수 있는 좋은 기회가 되는 셈이다.

우리나라의 경우, 중앙정부의 긴급재난지원금 이외에도 광역정부(광역자치단체)와 지방방정부(기초자치단체)에서 보조해주는 지원금 액수가 다 다르다.

또한 지역경제를 살리기 위해 소비 지역 및 소비 영역을 제한하고, 소비기한을 한정하고 있다. 그리고 그 지급 방법도 신용카드에 포인트를 첨가하여 지급하는 신용(credit) 형태의 지급 방법, 제한된 지역에서만 통용되도록 그 지역의 경제를 활성화시키기 위한 제한된 현금의 지역화폐 형태, 사용용도가 제한된 현금의 형태의 상품권 형태 등 지급 방법이 다양하다.

이러한 조건들은 긴급재난지원금이 지역경제에 미치는 영향뿐만 아니라, 지역 주민들의 복지 수준이나 욕구에 미치는 영향 따위를 살펴보는 데에도 아주 유용한 실험 조건이 된다.

이번 긴급재난지원금은 워낙 긴급한 상황에서 이루어진 것이라서 자산 조사 등을 통해 지급 대상을 선정한 것이 아니라 전 국민에게 지급되는 보편주의 형태를 띠었는데, 보편주의 복지 행태인 까닭에 그 효과가 적다는 반론이나 가정도 있을 수 있다.

예컨대, 아주 저소득층에게는 경제적 효과도 있고, 사회복지의 관점에서도 삶에 도움이 되었을지 모르지만, 중산층 이상의 소득 가구에는 별 효과가 없었을 것이라는 주장도 할 수 있을 것이다.

곧, 중산층 이상의 사람들에게 지급된 긴급재난지원금은 소비 행태가 한정—기한 내에 특정 지역에서만 소비해야 하거나 소비물품 등의 제한 등—되어 있는 까닭에, 소비는 이루어지겠지만 필요한 생활에 드는 비용은 긴급재난지원금으로 소비하고, 지급된 긴급재난지원금 만큼 남는 돈을 엉뚱한 데 사용할 수 있다는 주장이다.

따라서 긴급재난지원금 만큼 남는 돈을 저축을 하거나, 긴급재난지원금의 사용 제한 영역을 벗어난 곳에 사용한다면 의도했던 경제적 효과는 미미할 할 것이라고 주장할 수 있다. 예컨대, 지원금은 생활비로 쓰고, 남는 돈으로 주식을 사거나 백화점 등에서 과소비하는 데 사용할 수 있을 것이라고 주장할 수 있다.

그러나 이 경우에도 경제적 효과는 나타난다고 본다. 곧, 원래 의도했던 지역경제 활성화나 저소득층의 복지 효과는 물론 나타날 것이고, 중산층 이상 소득 계층의 과소비나 주식 투자 등은 그 나름대로 경제를 활성화시키는 데 영향을 미칠 것이기 때문이다.

한편, 비록 긴급재난지원금이 기본소득은 아니지만, 긴급재난지원금의 지급 방식이 미치는 사회경제적 영향에 대한 분석을 통해 앞으로 4차 산업시대에 시행해야 하는 기본소득의 지급 방식이나 지급 형태에 대한 시사점을 얻을 수 있다.

경제학자나 사회복지학자는 이번의 이런 좋은 연구 기회를 놓치면 안 되리라 생각한다.

2) 교육 방식의 변화에 관한 실험 기회.

이번 코로나 사태는 교사에 의한 지식의 전달이 아닌 학생 스스로 지식을 찾아 습득하는 교육의 좋은 기회이다.

이 실험은 학생의 창의성 발현에 긍정적 영향을 미칠 뿐 아니라, 학생 스스로 지식을 습득하고 보람을 느끼게 함으로써 자발적이고 능동적인 성격을 형성하는 데 도움이 될 것이다.

앞에서 논의한 바와 같이 4차 산업시대는 무엇보다도 인터넷 등을 기반으로 하는 정보통신기술의 시대이며, 이 시대로 진입한 4차 산업사회에서는 현재의 교육 내용과 교육 방법이 완전히 바뀌게 된다.

지금까지의 출석을 통한 학교 교육은 국어 영어 수학 등 정해 진 과목을 교사의 수업을 통해 이루어졌지만, 4차 산업시대에는 학생 개개인의 취미와 적성에 맞추어 프로젝트 중심으로 팀별 교육이 이루어질 것으로 예상하는 바, 이번 코로나 사태는 이에 대한 좋은 실험 기회를 제공해주고 있다.

이번 코로나 사태는 교실 수업 대신 집에서 인터넷을 활용하여 스스로 지식을 습득해 볼 수 있는 기회가 된다.

또한 인터넷 화상 강의의 학습 효과에 대한 실험 기회가 될 수도 있으며, 재택교육에 관한 경험을 축적할 수 있는 좋은 기회인 것이다.

교육학자는 이번의 코로나 사태를 4차 산업사회에서의 교육과 관련된 여러 가지 사항들을 미리 점검해보는 사전 학습의 기회로 삼아야 한다. 곧, 4차 산업사회에서 요구되는 교육 방법들에 대한 실험을 통해 그에 따른 교육 효과를 미리 측정하고 분석해 낼 수 있을 것이다,

교육학자들은 이런 좋은 연구 기회를 놓치면 안 되리라 생각한다.

3) 소외된 인간에 관한 실험 기회.

한편 이번 코로나 사태는 관계망의 단절이 개인의 심리나 활동에 어떠한 영향을 미치는지를 분석할 수 있는 좋은 기회를 제공해주고 있다.

예컨대, 사회적 거리 두기가 인간의 소외감에 어떠한 영향을 미치는가? 그리고, 인간의 사회적 활동이 어느 정도까지 억제될 수 있을 것인가? 등등을 연구할 수 있는 좋은 기회가 되는 것이다.

4) 재택근무의 가능성 탐색

경영학자들에게 이번 코로나 사태는 재택근무의 효율성을 체크하고 보완할 수 있는 좋은 실험 기회이다.

어차피 4차 산업시대로 이행하면서 산업 구조 및 노동 시장—직업의 종류, 내용, 수—의 변화가 급속도로 이루어질 뿐 아니라. 일의 형태 역시 확 바뀌게 된다. 곧 재택근무 중심으로 변화할 것인데, 이번 코로나 사태는 이에 대한 예행연습을 할 수 있는 좋은 기회인 것이다.

정보학자들이나 사회학자들에게는 4차 산업사회에서 사용되는 빅 데이터, 사물인터넷(IoT), 플랫폼 기반 서비스, 3D 프린팅, 인공지능(AI) 등 정보통신 기술의 혁신이 사회 경제 구조에 미치는 영향 등을 살펴볼 수 있는 좋은 기회가 되는 셈이다.

5) 새로운 정치체제의 가능성 탐색

또한 정치학자나 행정학자들은 이러한 인문 사회과학자들의 연구 결과들을 바탕으로 4차 산업사회에서 우리가 선택해야 할 정치체제와 정부의 기능 및 구조, 정책 등에 대한 연구를 통해 다양한 정책 대안 등을 제시할 수 있다.

앞에서 논의하였듯이 전자민주주의에 대한 구체적 논의가 이루어질 것이고, 4차 산업사회에서 정부 관료나 정치인이 어떠한 역할을 맡아 어찌해야 할 것인지가 논의되어야 할 것이다.

구체적으로 몇 가지 예를 들자면, 4차 산업사회의 참여민주주의 정치체제 하에서 행정 관료들은 어떠한 자질과 능력을 가진 사람들이 적합할까? 수많은 정책 이슈들 가운데 어떠한 것을 국민들의 전자투표에 붙일 것인가? 어떤 정책 이슈를 제시할 때, 그것의 해결방법들을 어찌 구성하여 정책대안으로 제시할 것인가? 그리고 이런 과정을 통해 국민들이 직접 결정한 정책들을 어떻게 시행할 것인가? 4차 산업시대를 이끌어갈 과학기술정책은?

이러한 질문들에 대한 해답은 정치학자나 행정학자들의 몫이다. 다시 말해서 4차 산업사회에서 요구되는 새로운 정치체제와 그러한 체제 하에서 이루어지는 행정의 변화와 정치인들의 역할, 정부 구조의 개편 등에 관한 연구 과제는 정치학자와 행정학자들에게 남겨져 있는 것이다.

5) 기타

물론 환경학자들이나 생태학자들에게는 이번 코로나 사태로 인해 세계경제가 위축됨에 따라 대기의 질이 좋아지고 생태계가 빠른 회복을 보이고 있는 것을 통해 바람직한 4차 산업사회의 앞날을 예견하여 제시할 수 있을 것이다.

이러한 연구 기회 이외에도. 이번 코로나 사태는 현실적으로 우리나라가 도약할 새로운 기회를 제공해주고 있다.

이번 코로나 사태는 앞에서 언급한 바와 같이 교육, 직업, 기본소득, 정부 역할의 변화 등등에 대한 실험의 기회이자 4차 산업시대를 준비하는 데 필요한 경험을 축적하는 좋은 기회가 될 것이다.

또한 이를 바탕으로 우리나라가 세계의 정치, 경제, 사회, 교육, 의료 등에서 선도 역할을 할 수 있는 디딤돌이 될 수 있다.

예컨대, 코로나19 및 방역의료체계에 관한 데이터와 경험의 축적은 코로나19에 관한 과학적 의료지식의 발전과 함께 어느 나라보다도 더 빨리 진단키트와 치료약의 개발을 가능케 했고, 팬데믹(pandemic) 상태의 세계 각국에 이들을 수출을 할 수 있는 기회가 되고 있다.

세계경제는 침체 상태로 전환되겠으나 우리나라는 다른 어느 나라보다도 경제적 위기가 심각해지지는 않을 것이다. 오히려 코로나 사태가 진정될 경우 우리나라가 세계 경제를 선도하게 될 것이다.

이러한 물질적 측면에서의 경제적 발전뿐만 아니라, 코로나 사태로 인해 축적된 무형적인 지식과 기술 등도 코로나 사태가 우리에게 준 선물이다. 곧, 우리 정부의 철저한 감염병 방역을 가능케 해주었던 우리의 방역 체계 및 방법에 관한 노하우를 전 세계에 제공할 수 있다.

또한 이런 무형적 자산—우리나라의 건강보험, 방역체계, 정부의 역할 등—은 미국과 유럽의 정치 경제 체계 변화에 커다란 영향을 미칠 것으로 본다.

한마디로 이번 코로나 사태는 다가오는 4차 산업사회에 대비하여 우리가 준비해야 할 것을 실험할 수 있는 좋은 기회이자, 4차 산업사회에서의 생활을 미리 경험할 수 있도록 해주는 신의 선물이다.

이번 사태를 통해 우리는 4차 산업사회로 나아가기 위한 예행연습을 충분히 해야 하지 않겠는가?

기회는 늘 있는 게 아니다. 특히 인문 사회과학자들에게 실험의 기회는 자주 오지 않는다.

인문 사회과학자들에게 이번 기회를 놓치지 말고 4차 산업사회의 변화에 대한 우리의 현명한 대응 방법을 연구하길 부탁한다.

참고문헌

김교성·백승호·서정희·이승윤(2018). 〈기본소득이 온다.: 분배에 대한 새로운 상상〉. 사회평론 아카데미.

김병연(2017). "'제 4차 산업혁명'과 경제," 〈지식과 지평〉 23.

김승택(2017). "제4차 산업혁명 도래에 대한 시각," *Deloitte Anjin Review.* No. 9. 38-45.

김진하(2016). "제4차 산업혁명 시대, 미래사회 변화에 대한 전략적 대응 방안 모색," 한국과학기술기획평가원. *KISTEP Inl* 제15호. 45-58.

박경은·이상구(2016). "'선형대수학' 플립드 러닝(Flipped Learning) 강의 모델 설계 및 적용," 한국수학교육학회지 E 〈수학교육논문집〉. 1-22.

박철우(2017). "4차 산업혁명과 융합인재, 그리고 교육 혁신," 〈월간 과학과 기술〉 7월호.

방진하·이지현(2014). "플립드 러닝(Flipped Learning)의 교육적 의미와 수업 설계에의 시사점 탐색," 〈한국교원교육연구〉 31권 4호. 299-319.

산업통상자원부(2014), 〈창조경제 구현을 위한 제조업 3.0 전략〉.

안문석·이재은(2016). "4차 산업혁명 시대의 지역정보화 대응전략," 〈지역정보화〉 이슈 리포트 제1호.

양금희(2005). "온라인과 오프라인을 통합하는 학습모델 개발을 위한 연구," 장로회신학대학교 교수학습개발원. 〈교수학습법 연구논문집〉 제1호. 148-181.

이재원(2016). “제4차 산업혁명: 주요국의 대응 현황을 중심으로,” 한국은행 〈국제경제리뷰〉 2016.8.19. 1-20.

임규정(2015). “최신 교수 전략의 동향과 철학교육,” 〈대동철학〉73집 94-119.

정보통신기술진흥센터(2016), 〈주요 선진국의 제4차 산업혁명 정책동향〉.

조헌국(2017). “4차 산업혁명에 따른 대학교육의 변화와 교양교육의 과제,” 〈교양교육연구〉 11권 2호. 53-89.

차두원·김서현(2016). 〈잡 킬러: 4차 산업혁명, 로봇과 인공지능이 바꾸는 일자리의 미래〉. 서울: 한스미디어.

최연구(2017). “4차 산업혁명시대의 미래교육 예측과 전망,” 〈미래연구 포커스〉’여름호. 32-35.